La imagen en el espejo

(Algunas confidencias)

La imagen en el espejo
(Algunas confidencias)

Abilio Estévez

Ediciones Furtivas
COLECCIÓN MIRILLA

Ilustración de cubierta: *Bacardí*, de Osmara Alberteris

Primera edición: Verano 2022

© Abilio Estévez, 2022
© Ediciones Furtivas, LLC, 2022
1820-206 S. Treasure Dr.
North Bay Village, FL 33141
www.edicionesfurtivas.com

ISBN: 979-835-25-6778-4

Producción editorial: Karime C. Bourzac
Corrección y diagramación: Oreste Martín Solís Yero
Diseño de cubierta: Ileana Botalín Díaz

La grieta existe, es evidente.

CESARE PAVESE,
El oficio de vivir

La imagen en el espejo
(Para qué se escribe —o se lee— una novela)

Mientras el mundo no sea un vacío inhabitado,
habrá una imagen en el espejo.
HENRY JAMES,
"El futuro de la novela".

1

Imaginemos un niño, no hace falta nombrarlo. De ser posible imaginarlo en la escuela, a la hora del recreo, sentado solo en el aula, bebiendo el refresco que lleva en un termo chino. Los demás niños corren por el patio, juegan a la pelota, las niñas bailan la suiza y presumen de lazos en las trenzas frente a los niños que juegan a la pelota. Hay una niña (de las clases superiores) que toca el piano del kindergarten y canta, no una canción infantil, sino una de moda, originalmente en inglés a la que alguien se le ocurrió traducir caprichosamente: "Esta historia comienza en un circo...". El niño mira a través de la ancha ventana las majaguas altísimas, bajo cuyas sombras juegan los demás. El día es espléndido. La frase anterior no es algo que se le haya ocurrido al niño, él aún no sabe cómo calificar los días ni las noches, no sabe cómo calificar. Comprende, siente, que el cielo es color cielo-de-verano, que hay pocas nubes y que huyen rápidas, porque la brisa completa la imagen idílica. Los árboles proyectan sombras que invitan a echarse allí, acomodarse entre las fuertes raíces de los falsos laureles y mirar las ramas más altas que se recortan en el cielo: dormir con los ojos abiertos o cerrados, da lo mismo, la alegría es igual. El canto, los gritos, la risa de los demás, provocan en el niño dos sentimientos distintos: júbilo y desánimo. No es capaz de explicar la una ni el otro. Termina de beber el refresco, cierra el termo, permanece callado, allí, en el pupitre, en el aula vacía, a la espera de que suene el timbre que anuncia el fin del tiempo de recreo. La señorita Yolanda, que no es maestra sino conserje, se acerca y acuclilla ante él. La mulata tiene verdes los ojos inteligentes. Es amiga de su madre, vive cerca de la casa del niño, junto a la antigua Logia que ahora es un centro cultural. La señorita Yolanda le pregunta por qué no ha salido a jugar. El niño no sabe qué responder. Para él, la pregunta de la señorita Yolanda no tiene respuesta. Tiene deseos de darle un abrazo. Se limita, pues, a abrir los ojos e intentar sonreír. Ella lo toma de la mano. Vamos, dice, tienes que jugar. Solo que, cuando están atravesando el pasillo que conduce a la puerta que da al patio, suena el timbre que anuncia el fin del recreo y la señorita Yolanda permite, como a regañadientes, que el niño regrese al aula, a su pupitre en el aula.

2

En cierta ocasión se colaron en el cementerio. Era domingo, bastante tarde (pronto se haría de noche) y Nono, el sepulturero, había cerrado con candado la puerta cancel, de modo que subieron por la mata de guanábana, que estaba por detrás, hacia los potreros, y de ahí saltaron la tapia y cayeron en la zona de tierra donde se hallaba la fosa común. Era el espacio más descuidado del cementerio. Crecía la hierba, algunas matas de llantén y había restos podridos de ataúdes. Nono los apilaba y un buen día les prendía fuego; el humo ascendente podía verse en todo el pueblo. Ellos jugaban al escondite entre los mausoleos y hacían viajes en tumbas que eran veleros. En uno de esos juegos, él se separó del grupo. Se quedó recostado a la tapia, muy cerca del montón de trozos de ataúdes. De pronto se dio cuenta de que se sentía feliz. ¿Cómo lo supo? Pues por las razones de siempre, por nada, por un deseo de sentarse en la tierra y recostarse a la tapia, sentir cómo la brisa iba secando poco a poco el calor de su frente y alejaba las voces de los amigos que saltaban de tumba en tumba. El último sol hizo centellear brevemente las cruces de mármol falso. También en el suelo brilló algo especial. Se acercó con sensación de arqueólogo. No tuvo que escarbar para encontrar una pequeña cánula dividida en dos, con un cierre casi imperceptible. Cuando la abrió, una tela redonda desplegó la imagen borrosa de un volcán japonés.

3

Es probable que nunca (desde que tuviste conciencia aproximada, y no demasiado clara, de quién eras y de dónde vivías) estuvieras satisfecho del todo con el lugar en que te hallabas. Si no, resulta imposible entender la fascinación que siempre ejerció sobre ti la palabra "viaje", con todo cuanto ella implica de misterio, de riesgo, de gozo, de peligro. Así ha sido desde tu niñez. Recuerdas, por ejemplo, un álbum que perteneció a tu abuela, un álbum de los años treinta y que servía para promover una famosa marca de cigarros cubanos: La Honradez, de Susini. En sus páginas estaban todos los países entonces reconocidos, con pequeñas postales de personajes típicos y de paisajes. Aún hoy no olvidas el extraño placer que te provocaban aquellas páginas. Cuánto tiempo pasabas hojeándolas, imaginándote perdido, sin pasado, sin futuro, por aquellos mundos secretos. Porque entonces, a la posibilidad del viaje real, se unió el encanto inmenso del viaje imaginario. La lectura como modo de huir, de viajar, de no estar donde realmente estabas. Viajar, huir. Siempre más lejos y siempre más oculto y siempre en una travesía sin fin que no buscaba llegar a ninguna parte, que solo servía por la travesía en sí misma. Copiabas, sin saberlo, a la gran Eleonora Duse. Luego, cuando conociste la poesía de Julián del Casal, te diste cuenta de que era una aspiración que ya otros habían advertido. Casal escribió:

> *Suspiro por las regiones*
> *donde vuelan los alciones*
> *sobre el mar.*

Era un deseo y una angustia que estaban en su espíritu, y que estaba, además, en el espíritu de toda una época, que de algún modo era la tuya. Porque Casal leyó a Baudelaire y su "Invitación al viaje", su "Viaje a Citerea". Y tú también, como ellos, pensaba que todo siempre era mejor "allá", "lejos", *là-bas*, en un país "remoto" donde todo fuera lujo y calma, orden, deleite y voluptuosidad. Y no olvidabas que vivías en una isla. Por ingenuo que fueras, o ignorante, tenías conciencia de que una isla es un lugar de encierro. Y te ibas al borde del mar, a leer allí, frente al horizonte. Y a ratos, dejabas que los ojos se apartaran de las páginas, y se fijaran en los barcos que pasaban a lo lejos (*por la azul epidermis de los mares*). Y cerrabas los ojos, como si con eso bastara, como si con cerrar los ojos pudieras ya encontrarte en ruta hacia un lugar distante donde serías (cómo no, inevitablemente) feliz.

4

Viajar está bien. Viajar es excelente, pero ¿y huir? A veces es excesivamente sutil la diferencia entre el viaje y la huida. "Huir" es un verbo que contiene la prisa, el miedo, la desesperanza. La Real Academia de la Lengua Española lo asocia a la necesidad de evitar el daño, el disgusto y la molestia. A lo largo de muchos años, yo he visto numerosas huidas. Recuerdo en abril de 1980 la impaciencia de miles de personas hacinadas en una casa familiar reconvertida en embajada de Perú. Yo trabajaba cerca, junto a la iglesia de San Antonio de Padua, en un lugar aterrador donde se hacían unos libros muy feos que decían "para la educación". Nunca olvidaré aquellos días de abril de 1980, días de incertidumbre, crueldad y, sobre todo, de violación de los derechos humanos. Tampoco los días de 1994 en los que se autorizó el éxodo hacia Estados Unidos. Desde cualquier punto del litoral habanero vi zarpar (no sé si el verbo marinero puede aplicarse a una balsa) todo tipo de embarcación precaria. Vi cómo los que se preparaban para huir se despedían de los que (por el momento) no podían huir. Vi cómo se abrazaban y cómo estos volvían lentamente la espalda, como a regañadientes, y cómo aquellos entraban al mar, nadaban, subían a las balsas, a veces con imágenes de la virgen de Regla, Yemayá —orisha del agua salada—. Se alejaban cantando. No sé si lloraban o reían, sé en todo caso que muchos iban cantando. Luego he sabido de otras huidas, de los que salían de Colombia hacia Panamá y se perdían en la selva del Darién. De los que atravesaban Costa Rica, Nicaragua, Guatemala... Sé de los que han estado en Belice, de los que han sentido el triunfo de atravesar el istmo de Tehuantepec. O de los que llegaban a Mexicali, Nogales, Ciudad Juárez como si llegaran a la Tierra Prometida. Todo lo anterior observa únicamente la huida de una islita de El Caribe que, como se comprenderá, me toca de cerca. La palabra "patria" también sirve para hablar del horror desde la experiencia personal. Hay más, sin embargo, en otros lugares del mundo. Otras balsas precarias que salen del norte de África. Conocí un hombre en Barcelona que salió de Lagos, donde había nacido, junto al golfo de Guinea, y llegó andando a Alhucemas, en el Mediterráneo. Esta oración de dos líneas esconde meses y meses de malvivir por un desierto, un viaje escabroso por el Mediterráneo, la estancia en un centro de acogida y un final (¿feliz?) en una ciudad al otro lado del Mediterráneo. Acudió a mí porque quería (o necesitaba) escribir el viaje, o mejor dicho la huida. Los venezolanos cruzan la frontera con Colombia. Los periódicos informan de una guerra en Siria que no cesa, de la inevitable crisis migratoria hacia Europa. Los periódicos no informan de los que hacen fortuna con las desgracias ajenas, las mafias, los nuevos negreros. Ahora mismo, en estos días en que el invierno va cediendo paso a la primavera, miles de ucranianos huyen de la invasión rusa, hacia Polonia, Moldavia o Rumanía.

5

En numerosas ocasiones he hablado del miedo. Esa "percepción de un peligro real o imaginario" ha sido una de las claves de todo cuanto hemos vivido. Un día (que en realidad fue una sucesión de días y de años) nos enseñaron que había un enemigo detrás de cada ventana, en cada esquina, al acecho sobre los árboles, en los patios y jardines —mientras más hermosos más inseguros—. En determinadas condiciones, el adversario (incluso el asesino) podía estar calentando la almohada de nuestras propias camas. Fue (es) un aprendizaje que costó poco, porque estábamos hechos con el material de la desconfianza. Unas cuantas gotas de veneno bastaron para emponzoñar la sangre de miles de nosotros. Sí que fue fácil. Y qué dispuestos nos encontraron para dejarnos llevar por ese camino siempre al borde del riesgo, por el despeñadero, con la conciencia de cualquier emboscada. Era levantarnos con miedo, pasar el día con miedo, llegar a la noche con miedo para irnos a dormir sin saber si sería posible pasar de una pesadilla a otra, como aquellos personajes inolvidables de *Dos viejos pánicos*, la pieza de Virgilio Piñera. Recordamos que ya, al final de la obra, en un momento de desesperación, Tabo exclama:

> Tener que despertar y tener que vivir con este miedo y tener que jugar para no tenerlo y cuando juegas lo mismo tienes miedo y no entiendes nada de lo que te pasa y solo sabes que el miedo está aquí (*Se toca la cabeza*). O aquí (*Se toca el pecho*). O aquí (*Se toca el estómago*). Y él apretando, apretando y tú crees que lo has matado por ti, por mí, pero no matas nada y piensas que si lograras matarlo sería una reparación, una reparación que la vida te da, porque te has pasado los años con las manos en alto frente al cañón de una pistola.

Ante eso, solo cabe, creo, la respuesta de Rainer María Rilke en los cuadernos de Malte Laurids Brigge: "He hecho algo contra el miedo. He permanecido levantado durante toda la noche y escribí".

6

Hace más de cincuenta años, cuando era un adolescente y por no sé qué extraña y maligna razón quería ser escritor, tenía la certeza de que habría sido preferible haber nacido en cualquier otro país y en cualquier otra ciudad. Tenía entonces un atlas del mundo, grande y exhaustivo, algunos de cuyos mapas, cuando se desplegaban, cubrían la superficie de la mesa. En las tardes, me sentaba a mirarlo, a recorrerlo, a estudiarlo. Me dejaba atraer por nombres exóticos de ciudades distantes, no solo por la geografía, sino también por la cultura: Estambul, Abidjan, París, Valparaíso, El Cairo, Asunción, Singapur, San Francisco... Y las imaginaba. Cualquier ciudad, la más exótica y lejana, hubiera sido mejor que La Habana, a pesar de que La Habana (si atendemos a eso que se llama realidad) era la única y aproximada verdad, aquella en la que estaba, la que podía caminar hasta el cansancio. En esos años, sentía que odiaba mi ciudad. Odiaba su luz (demasiado intensa), su calor (siempre excesivo), su vulgaridad (la música siempre a todo volumen), su parsimoniosa desesperación. La odiaba tanto que no sabía que la admiraba. Yo habría querido nacer en otro sitio, vivir en otro sitio, estudiar en Cornell o en Princeton. Como no podía escapar *realmente*, descubrí que podía escapar con la imaginación, lo cual tenía sus ventajas. Es decir, si leía y escribía comenzaba la huida, el viaje, el exilio que no era impuesto, al que nadie obligaba, que podía ser cuidadosamente escogido. Leer a Joseph Conrad, por ejemplo, me permitía refugiarme en Borneo, en Patusán, aun cuando Patusán fuera una región imaginaria... ¿y es que acaso no son imaginarias todas las regiones? Si leía a Balzac, me enfrentaba con París, como ese atractivo joven llamado Eugenio de Rastignac. Si leía a Sherwood Anderson huía a un pequeño pueblo, también ilusorio, llamado Winesburg, en Ohio. De modo que pronto me percaté de que escribir y disfrutar de lo que otro había escrito implicaban siempre y de algún modo un destierro, un confinamiento, un estar donde no se estaba. Comenzaba a entender qué significaba lo que había querido decir Rimbaud con *la vraie vie est ailleurs* ("la verdadera vida está en otro lugar"). De manera que quizá la distancia, el éxodo, la ausencia, el exilio, en suma, tenían que ver con la condición del escritor. Quizá cuando se abandona el país donde se ha nacido, ya se ha ido abandonando antes, poco a poco, por sucesivos y cada vez más categóricos alejamientos. Una cosa es lo que significa para el señor Estévez abandonar el país de origen; y otra muy distinta lo que significa para el escritor Estévez abandonar el país de origen. El señor Estévez, que se siente natural de un lugar, que es habanero, marianense para más señas, añora ciertos paisajes, ciertos olores, ciertos sabores, ciertas sensaciones. El escritor Estévez no se siente de ningún lugar. O mejor dicho, se siente de muchos lugares y, muy en primer lugar, de los que se hallan encerrados en su imaginación y, por extensión, en sus libros. Ahí, en esos espacios, está su patria. La verdadera. Lo demás, es invento romántico, político, y un invento del poder que aspira siempre a dominarlo todo, hasta los sentimientos. Sin ánimo de hacer la apología del desamparo: la ausencia, la añoranza, la carencia del señor Estévez es la posibilidad literaria del escritor Estévez. Abandonar La Habana, perderla para siempre, significó descubrirla desde otra dimensión. Esto que siempre se dice, y que tiende ya al lugar común, encierra una cierta verdad. La Habana perdió definitivamente su condición de ciudad real para convertirse en tierra de la imaginación, semejante al Patusán de Conrad, al Winesburg de Anderson, al Yoknawpatawpha de Faulkner, a la Comala de Rulfo, a la Dublín de Joyce. Al dejar de pertenecer a la realidad real, por decirlo casi con una tautología, adquirió otra realidad mayor, la realidad que tenían las ciudades lejanas (imaginadas) del mapa de la infancia. Es entonces cuando se han abandonado ciertos panoramas, ciertos días y ciertas noches, ciertos sabores y ciertos olores, ciertas alegrías y ciertas angustias, cuando se está en condiciones de recordar, de invocar, de escribir. Era acaso, entre otras cosas, lo que quería decir Horacio Quiroga en su Decálogo del Perfecto Cuentista cuando recomendaba: "No escribas bajo el imperio de la emoción, déjala pasar y evócala luego". Como dice Elías Canetti en *Auto de fe*: "Solo en el exilio uno llega a ser por completo lo que se era; habría que vivir en varios exilios sucesivos; ser visto en todas partes como extranjero, no muy deseado, forzado a aprender en todas las edades de la vida; así se podría llegar gradualmente de verdad a ciudadano del mundo". He comenzado diciendo que de adolescente tenía la certeza de que habría sido preferible haber nacido en cualquier otra ciudad que no fuera La Habana. Ahora, después de haberla abandonado (probablemente para siempre), es cuando he terminado de percatarme de lo que significaba mi ciudad y de lo que significó vivir en ella. La lejanía provocó la cercanía y el descubrimiento de que quizá exista un plan secreto: se nace en una ciudad no por azar, sino porque no se puede nacer en ninguna otra.

7

No se sabe cómo escapó de la isla. Había escasos modos de hacerlo. Una isla es un lugar fuera de lugar, de cualquier lugar. Una isla es un espacio para el encierro. Ya es terrible haber creado las fronteras, para que (y para más infamia) exista un territorio que las confíe al mar. Para huir de una isla se han de correr riesgos excesivos. Para quedar incólume de la huida hay que tener armas especiales. Pero él, el hombre del que estamos hablando, tuvo los arrestos suficientes. Esperó, se agazapó, y un buen día "dio el salto", como él solía decir pensando en los trapecistas. El caso es que huyó de la isla. Y lo mejor, sin perder un brazo, una pierna. Sobre todo sin perder la cabeza que es lo peor que se puede perder.

8

Un hombre tan atormentado como August Strindberg escribió *Ensam* (novela autobiográfica) nueve años antes de morir, en 1903. En ese librito memorable, dejó estos párrafos memorables:

> Lo que he ganado con la soledad es poder decidir por mí mismo mi dieta espiritual. No tengo que ver a mis enemigos en mi propia casa, sentados a mi mesa, ni escuchar el silencio mientras alguien se burla de lo que yo más estimo; no tengo que escuchar, dentro de mi casa, la música que aborrezco; evito ver periódicos, tirados por ahí, con caricaturas de mis amigos y de mí mismo; me he liberado de leer libros que desprecio y de visitar exposiciones y admirar cuadros que no me gustan. En una palabra, soy dueño de mi alma en aquellos casos en los que uno tiene algún derecho de serlo, y puedo elegir mis simpatías y mis antipatías. No he sido nunca un tirano, lo único que he pretendido es dejar de ser tiranizado, cosa que no soportan las personas tiránicas. Al contrario, siempre he odiado a los tiranos, y esto es algo que los tiranos no perdonan.
>
> Siempre he querido avanzar y ascender; tengo pleno derecho frente a quienes han pretendido hacerme retroceder. Tal es la razón por la que me he quedado solo.

(August Strindberg, *Solo*, Mármara Ediciones, Madrid, 2015).

Cierta tarde paseé yo por el Flushing Meadows Park, en Queens, Nueva York. El parque todavía era hermoso, se notaba la grandeza de la Exposición Universal, a pesar de que por aquellos años (1993) estaba un poco descuidado y algunos *homeless* lo habían elegido para sobrevivir. Sin embargo, también había niños jugando (patinadores con "todo el rocío tenaz del cielo"), ancianos que leían el periódico, personas que iban sin prisa, otros que se echaban sobre la hierba. Junto al lago artificial, en una pequeña cabaña hecha de cartones y anuncios de Coca-Cola, encontré una pareja muy joven, supongo que apenas rebasaran los veinte años. Ella era rubia y estaba sentada en la orilla con los pies ocultos en el agua. Él era moreno e iba sin camisa, intentaba eliminar el sudor de torso y espalda con el agua sucia del lago. De vez en cuando se miraban y sonreían. Recuerdo que pensé que eran felices. No sé si mi pensamiento tuvo que ver con la juventud y la belleza, como si esas dos palabras bastaran para la felicidad. O quizá porque los vi tan despojados. Nada tenían que perder, salvo a sí mismos. Luego, días, años después, se me ocurrió pensar en la historia personal de aquellos muchachos que nunca he olvidado. Imaginé una historia para ellos, el camino que los había llevado hasta allí. A veces, cuando me da por recordar (esa forma de hacer ficción), me pregunto qué habrá sido de sus vidas. En cualquier caso, ahí están en mi recuerdo: ella refresca los pies en el agua; él se despoja del sudor, con el sol que resplandece en sus hombros, en su pecho y en su espalda. Los expulsaron del paraíso y se refugiaron en el paraíso.

10

Había un viejo escritor que no era generoso y padecía de halitosis. El joven nunca supo por qué era amigo del viejo escritor, puesto que al hombre le encantaba desanimar, adoraba desanimar a los escritores jóvenes, vencerlos con lógica de sofista del barrio de Cayo Hueso (el barrio no es lo mismo que un cayo de la Florida con el mismo nombre). El primer día que habían conversado, el joven tenía veintitrés años (treinta menos que el viejo escritor) y el viejo escritor le preguntó si ya había publicado. El joven negó. El viejo sonrió con aire paternal y con aire paternal movió la cabeza y clavó la mirada en algún punto lejano, como si estuviera a punto de elevar una plegaria. Dijo: Pues yo a tu edad ya tenía libros publicados. Después, cuando se vio en la calma cómoda de su cama, pensó mil respuestas ingeniosas para aquella provocación. No, el joven nunca supo por qué era amigo del viejo escritor, si ni siquiera olía bien. Un hombre que fingía algo imposible: que era un gran escritor. Andaba por la ciudad con la cabeza alta y aire de prepotencia. Observaba con distancia cualquier cosa que observara, y con un punto de sarcasmo. No soportaba que alguien lo tocara. Ante las frases amables no sabía qué hacer o decir. Una tarde, el joven, que intentaba escribir una novela, le rogó que escuchara uno de los capítulos. Después de la escritura, el viejo fue tan gentil de traer té con azúcar y limón. Luego se balanceó en su comadrita. Al cabo de un largo y desesperante silencio, el viejo exclamó: Te propongo que lo dejes. No estás dotado para la literatura. Nunca escribirás una novela. Y después de semejante predicción, el viejo bajó la cabeza y sonrió con aire compungido, de fingida tristeza.

El sillón. Es imprescindible el sillón. El estilo o el no estilo, la época, la madera o la tela del tapizado (si es que fuera tapizado) dan lo mismo. Lo que importa es prácticamente el concepto platónico del sillón, el lugar donde sentarse. Digo concepto platónico, con la condición de que ese arquetipo sea rigurosamente sensible, un lugar de la realidad donde permanecer horas y horas fingiendo que esa ventana no existe, que no hay paisaje posible a través de ella, que el mundo es resultado de una ilusión morbosa. Y sin embargo, es ahí, en ese sillón de la más rigurosa materialidad donde se tiene más presente la ventana, el paisaje, el mundo. Por la calle de enfrente, tan vacía, tan silenciosa, pasan, de madrugada, los hombres que van al trabajo; las embarazadas que rompen aguas en horas inexplicables; los bandidos que huyen de otros bandidos; los coches de alta gama; los mendigos que van a las puertas de las catedrales; los trajeados jefes de estados fallidos; los corredores de fondo y los corredores de bolsa; hombres tristes con banderas rojas; ejércitos triunfadores y ejércitos derrotados, ambos con hambre y sed; los vivos que parecen muertos, los carros de los muertos que parecen vivos, camino de no se sabe dónde, de la morgue no, porque la morgue está desbordada. Cualquier cosa se puede ver a través de esa ventana, desde el sillón —elemento ineludible—. Incluso se ve un camino y hasta un hermoso bosque y un lago, como esos que abundan en Finlandia y que, en verano, se ven iluminados por el sol de medianoche.

12

Y la lámpara. También se precisa de una lámpara, cualquiera que sea: hasta una lámpara de IKEA será siempre una lámpara votiva. Cuando la luz del día va disminuyendo en la ventana, lo más natural es recurrir a otra luz. Un artificio sucede a otro artificio. Siempre es hermoso y conciliador ir por un camino oscuro y descubrir a lo lejos una ventana iluminada. Detrás de ella puede haber muchas cosas diferentes, pero en mi imaginación hay una persona que trabaja —que lee o escribe: que trabaja—. Eso dicen que sucedía con la ventana del pabellón de cierta casa de Croisset, Normandía, "separada por el Sena por un césped" (según dijo Guy de Maupassant). Los que navegaban por el río, veían una luz prendida en la alta noche. Y es que Gustave Flaubert solía trabajar hasta las tres o las cuatro de la mañana.

13

La libreta de notas. La Moleskine, que popularizó Bruce Chatwin. Da cierto gusto pensar que *En la Patagonia* se escribió en un cuaderno como este. Un cuaderno negro, discreto, casi invisible, con una banda flexible para que no se abra en los momentos inoportunos.

14

Una hermosa pared. Una hermosa pared significa una pared fea, si acaso pintada de color hueso (es bueno tener presente que *pulvis es, et in pulverem reverteris*), sin adornos de cualquier índole, nada de cuadros con paisajes, puesto que los cuadros con paisajes a veces son más conmovedores que los paisajes propiamente dichos. Nada de fotos familiares que suavizan la cólera. La nostalgia transforma el malestar. Mejor si la pared tiene manchas de humedad, puesto que ellas remiten a cómo todo, hasta lo más sólido, es susceptible de ser filtrado y finalmente destruido. Una pared manchada puede hacernos recordar que "una civilización tiene la misma fragilidad que una vida. Las circunstancias que podrían mandar las obras de Keats y las de Baudelaire a unirse con las de Menandro no son ya totalmente inconcebibles: están en los periódicos" (Paul Valéry, *La crisis del espíritu*). Vamos, pues, a pensar en lo efímero y a trabajar sobre lo efímero.

15

La vida que me intriga
Me impidió el suicidio.

BLAISE CENDRARS,
"Expreso a Bombay".

Se cuenta una historia de Blaise Cendrars cuya autenticidad no he comprobado —aunque en última instancia qué más da—. El suizo quería escribir el primer libro de sus memorias, o lo que sean esos libros en los que supuestamente habla de sí mismo. Hacia el final de la guerra, aproximadamente en 1943, tenía en mente *El hombre fulminado*. Para escribirla necesitaba concentración y, por lo mismo, serenidad. Se alquiló una casita en medio del bosque, en la ladera de una montaña, frente al lago Lemán. El paisaje era todo lo suizo que puede ser un paisaje suizo —idílico, como de cuento antiguo—. Blaise Cendrars pasó un año entero entre abetos, castaños y robles, siempre frente al inmenso espejo del lago desde donde podía ver, en los días transparentes, la ciudad de Evian-les-Bains, tierra francesa. El lector ya sabe lo que sucedió: no escribió una palabra. La vida que lo intrigaba le impidió escribir. Únicamente pudo hacerlo en una buhardilla de París (¿o en Aix-en-Provence?), donde las ventanas se abrían al muro del edificio contiguo.

16

El lector. El imaginario y el posible, el que exige y acepta.

Creo sin embargo que el novelista puede decir que no se le hace justicia si no se reconoce que tiene derecho a exigir algo a sus lectores. Tiene derecho a exigir que el lector posea la pequeña dosis de aplicación necesaria para leer un libro de trescientas o cuatrocientas páginas. Tiene derecho a exigir que el lector posea suficiente imaginación para ser capaz de interesarse por la vida, las alegrías y las penas, las tribulaciones, los peligros y las aventuras de los personajes de su invención. Si el lector no es capaz de sí mismo, no obtendrá de una novela lo mejor que esta puede ofrecerle. Y si no es capaz de darlo, sería mejor que no la leyera. No existe obligación alguna en leer una obra de ficción.

Así escribió Somerset Maugham en 1954, en el prólogo de su *Diez grandes novelas y sus autores*.

17

No hay que olvidar aquella divisa que Leonardo había mandado grabar en su taller de Florencia: *Ostinato Rigore*.

18

[...] el motivo por el que leemos tales novelas es para sentir la paz y la seguridad de estar en casa, donde todo nos resulta familiar y se encuentra en el lugar habitual. El motivo por el que acudimos a las novelas literarias, a las grandes obras, donde buscamos una guía y una sabiduría que puedan aportar algo de significado sobre la vida, es que no logramos sentirnos como en casa en el mundo [...] El hombre moderno lee y necesita novelas para sentirse como en casa en el mundo, porque su relación con el universo en el que vive se ha visto dañada [...]

(Orhan Pamuk, *El novelista ingenuo y el sentimental*, Literatura Mondadori, Barcelona, 2011, p. 127).

19

De un día para otro, todo cambió. En realidad no fue así de rápido; se trata quizá de la impresión que tenemos ahora de aquel proceso tan radical en nuestras vidas. La memoria, como la literatura, realiza su selección y recompone los lapsos temporales. Ahora mismo, cuando pensamos en aquellos años, sentimos que el cambio tuvo lugar de un día para otro. Sí sucedió que mi padre, que era soldado del ejército de la República, radiotelegrafista del Cuerpo de Señales, adjunto al Estado Mayor General, se vio licenciado con cincuenta pesos de pensión. Y fue un afortunado, puesto que le perdonaron la vida.

20

I'm dreaming of a White Christmas, just like the ones I used to know..., cantaba Frank Sinatra, con su voz admirable, que en diciembre adquiría un tono melifluo. Sin embargo, los jardines de la calle Medrano, la calle donde él vivía, junto al cuartel de Columbia, así como el patio con fuente que había justo al lado del Instituto de Segunda Enseñanza, se encargaban siempre de contradecir al *crooner*. Los jardines (nadie sabía si para la felicidad o la desgracia) nunca fueron blancos, sino verdes y rojos, con esos verde y rojo intensos de las flores de Pascua que aparecían con tanto júbilo como si tuvieran conciencia de que anunciaban la mejor y más divertida temporada del año, que para la mayoría terminaba el 6 de enero, Día de Reyes. Además, ese lapso de fiestas comenzaba de modo extraño o cuando menos peculiar, también rojo. El 4 de diciembre, día de Santa Bárbara, había fiesta en muchas casas, en especial en la de Nieves Fresneda. No en la casa de Nieves Fresneda, porque ella, como casi todos por allí, vivía en dos exiguas habitaciones; la fiesta se organizaba en los patios comunes, en el portalón de la bodega de Martínez y en el tramo que iba desde la calle Santa Petronila hasta la de la Línea. Él recuerda que en la esquina disponían una gran mesa de mantel blanco con una santa de madera, pelo de verdad, capa de tela púrpura, con lentejuelas doradas y espada desafiante, rodeada de flores, hojas de areca, velas y lámparas de aceite. Y, desde temprano, un tamboreo que se prolongaba hasta el amanecer del día 5. Esa noche casi nadie dormía; tampoco es que quisieran. Los mayores bebían abundante ron y aguardiente, bailaban, jugaban dominó y lotería y se sabía que era ese el mejor modo de dar inicio a las fiestas que estaban por llegar. Hacia el 8 de diciembre se desempolvaban y engalanaban los árboles de Navidad. Por lo general, abetos de alambre forrados con papel crepé, que durante el resto del año permanecían atados con cordel sobre los armarios, en los cuarticos de desahogo. Algunos iban a cortar pinos, o araucarias a las que se daba categoría de pinos y que abundaban por toda la avenida San Francisco y por allá, cerca del Hipódromo. En realidad, las ramas de pino no eran convenientes, porque se iban poniendo mustias con los días y cedían al peso de tanto florón y bolas de cristal. Había un gran momento de la vida de entonces, aquel de sacar las cajas con las bolas y adornos y comprobar que, de un año para otro, casi ninguna se había roto. El árbol de la casa estaba adornado con guirnaldas y bolas azules, todas del mismo tamaño. La madre lo consideraba bonito así, más discreto y elegante. Él discrepaba en silencio. Prefería los árboles de los vecinos, con sus bolas de todos los tamaños y colores, estrellas, flores, calcetines, campanitas, trineos, y la abundancia de algodones que querían simular la nieve que nunca habían visto. Y un adorno extraordinariamente raro, unas especies de tubos de ensayo que, conectados a la electricidad, agitaban agua colorida. Lo mejor, con todo, era el nacimiento, el belén; abrir la caja de cartón color madera, que simulaba un cofre, para extraer, una a una y con cuidado, las piezas esmeradamente envueltas en papel de periódico. Se cuidaba mucho el nacimiento porque era mexicano. Se los había regalado una profesora que era mexicana y regresaba a su país de origen todos los años. Para ser sincero, él no acababa de ver la diferencia entre el nacimiento de ellos, mexicano, y el de los otros, fueran de donde fueran, pero sabía que había que cuidarlo por su prestigio añadido. José y María, matrimonio mexicano, el Niño mexicano sobre el pesebre, algunos pastores, unas vacas y una mula, mexicanos todos, y una cabra que comía hierba fresca y que sí no debía de ser mexicana, superviviente tal vez de otro nacimiento anterior y es que, en proporción, tenía un tamaño mucho mayor que las figuras humanas. Si a él le daba por ponerse en el punto de vista de un pastor, tendría que reconocer que la cabra era un monstruo. Tampoco el pesebre era mexicano. Lo compraron en una tienda llena de juguetes y abalorios, Alkázar, quincalla gigante en la esquina de la Calzada Real con la calle General Lee. Había un presumido mal gusto en todo aquello, una ingenuidad casi carnavalesca, que tenía su lado candoroso, primitivo y por supuesto feliz. Y qué ambición, qué nostalgia, qué voluntad de nieve. Qué patético deseo de que fueran *white* las *Christmas*. Qué candidez desesperada en el intento de que la realidad se adecuara a la canción de Irving Berlin. Y entonces, a falta de nieve, comprar rollos y rollos de algodón en la farmacia del doctor Veloso, el más beneficiado con la nostalgia por las nevadas. El 17, otra fiesta anticipaba las fiestas, San Lázaro y sus largas peregrinaciones. A partir de ese día comenzaban los paseos obligados. Él no recordaba el orden; sí recordaba en cambio (vívidamente) los lugares a los que iban. Al Coney Island, por ejemplo, donde la gigantesca vieja de la entrada, que durante todo el año se retorcía de risa, lograba un merecido descanso al ser sustituida por un Santa Claus también gigantesco. Otro Santa Claus enorme se alzaba en el segundo piso de El Bazar Inglés, justo al lado del Ten

Cents de Galiano. En el Hogar Clínica San Rafael, frente a la quinta San José de Lydia Cabrera, montaban un nacimiento bajo una gruta de papel coloreado. Un nacimiento de obligada visita se hallaba en la iglesia de San Juan Bosco, en la calle Santa Catalina, este con la mágica particularidad de un toque de guiñol, puesto que los pastores se movían cuidando los rebaños, los Reyes llegaban en camellos y, lo más sorprendente, el Niño aparecía como por milagro en un pesebre que hasta una determinada hora se encontraba vacío. Sin embargo, el nacimiento más impresionante se podía ver al aire libre, en una de las furnias de El Vedado, junto al edificio *art d*éco del arquitecto Rafael de Cárdenas (primo de Anaïs Nin), en 23 y O; y es que las figuras de este belén tenían el tamaño y las expresiones de las personas de la vida real. Alguna noche el tío montaba a todos los primos en su Pontiac y los llevaba al reparto Víbora Park. Aquel reparto era lo más parecido a lo que comenzaban a ser, y serían luego, los barrios del North West y el South West de Miami, con aquellas casitas de clase media pretenciosa, muy "años cincuenta" que a los marianenses hacinados del reparto Hornos, les parecían aristocráticas, como de películas (el mundo *pleasantville*, diría él ahora) alejadas de las aceras, con jardines extensos que se adornaban con profusión de luces, en una tácita competencia por ver quién prendía más y más sofisticadas bombillas en colores. Y en cada puerta, las inevitables coronas de Adviento. Otro paseo obligado: la tienda J. Vallés, en San Rafael e Industria, donde, gracias a un antiguo teléfono, se tenía la consideración de hablar con los tres Reyes Magos, sentados en sendos tronos tras las vidrieras. También había que ir a Al Bon Marché, junto a la iglesia de Reina, casi esquina con la calle Belascoaín, una tienda religiosa donde se compraban las mejores postales navideñas. Las había para todos los gustos y bolsillos. Y ya, desde el 23, bien temprano, comenzaba verdaderamente la gran fiesta. Para la familia, la Nochebuena tenía que celebrarse en Bauta, allá, en la Minina, en casa de los abuelos, donde el pueblo se convertía en potreros y había una pequeña laguna junto a la que se criaban los lechones para la comelata. La propia matanza del lechón se convertía en fiesta. Preparar el adobo con mucho ajo, orégano y naranja agria, otra fiesta. Abrir el hueco en la tierra para improvisar el horno con hojas de plátano, otra fiesta. Hervir la yuca y amasarla para los buñuelos, otra fiesta más. Se prendían luces en los árboles del patio y las mesas se unían a las mesas y los manteles a los manteles para formar un mueble interminable que permitiera la reunión de la familia. Entonces no faltaba nadie. Él tenía la impresión de que todo era amable, armónico, satisfecho. Se querían. Nadie traicionaba a nadie. No estaban al tanto de pobrezas y desgracias. Desconocían las enfermedades y las ruinas. En ese período del año, tenían la superstición de que el sufrimiento era algo que solo afectaba a los otros. Y claro, tampoco sabía de ausencias. Ninguna de las muertes posibles los había afectado. Nadie pensaba en huir, de la forma que fuera. Aún no había nada de qué huir. Se partía del presupuesto de que estaban en el lugar que les pertenecía por derecho propio. A nadie se le hubiera ocurrido concebir que las cosas podían ser de otro modo. Es probable que si a alguien de la familia se le hubiera mencionado la palabra "éxodo", esta habría alcanzado únicamente para una vaga referencia bíblica. Y, bueno, no hay que decirlo: las cosas siempre pueden ser de otro modo. "La vida da muchas vueltas", exclamaba la abuela sin que probablemente supiera con exactitud el alcance sombrío de una frase que solo buscaba abarcar lo cotidiano, que solo pretendía ser trivial. Las Navidades (y cualquier atisbo de ingenuidad) se fueron terminando. De pronto, aprendieron que eran personajes de un drama, del drama, de la historia. Y eso que, como en una pieza de Pirandello, no estaba en el propósito de nadie ser el personaje en busca de autor. En 1969, con el pretexto de la llamada Zafra de los Diez Millones, se eliminó del todo la Navidad. Un golpe de dados nunca abolirá el azar, pero un decreto del poder puede abolir cualquier cosa. Él recuerda que ese fue el primer año que la escuela al campo se programó para diciembre. La fiestas navideñas, que ya no eran fiestas navideñas, lo alcanzó en un campamento llamado Olano, entre Mariel y Bahía Honda. El paso del 24 para el 25 de diciembre lo sorprendió con una montaña de vainas de gandul a las que debían sacar los frijoles. Para entonces, nadie, ni el melifluo Frank Sinatra cantaba *I'm dreaming of a White Christmas*. Ningún niño soñaba tampoco con escuchar *sleigh bells in the snow*... Como era de esperar, los Reyes Magos nunca volvieron a J. Vallés, ni a ningún otro sitio de La Habana. Se acabaron los sueños. Comenzaron las pesadillas. Pésimos sueños con repiques de batalla y "tableteos de ametralladoras". Comenzó la guerra, una larga, permanente guerra, que, como la de Troya para Giraudoux, nunca tuvo lugar. Y la nieve, la única nieve, sería la de ciertos disparos en versos malos de canciones con pretensiones de poesía. Y sí, por supuesto, murió Nieves Fresneda, y desaparecieron los patios y entre ellos el gran patio del Instituto; y cerraron las quincallas y las bodegas de Martínez y de Plácido; y se derrumbaron algunas casas, y muchos de sus dueños tuvieron que salir huyendo (no solo de las casas), como damnificados de una guerra sin combates ni disparos. Lo de menos fue que, sin que se dieran cuenta, se rompieran las bolas azules del árbol, y que un día ordenaran arrancar las flores de pascua para sembrar plantas de café que nunca florecieron. Hasta donde supo, del belén mexicano solo sobrevivió la cabra fuera de escala, justo la pieza que no era mexicana, y que extrañamente pastó sin hierba desde entonces en algún rincón de la casa.

21

Hace más de treinta años, tuve ocasión de pasar algunos meses en la ciudad de Sassari, en Cerdeña. En realidad debía haber pasado seis años; creo que me lo impidió algo con lo que yo convivía desde hacía muchos años, la penosa costumbre de la falta de libertad. No supe gestionar la libertad que me proporcionó verme libre en la ciudad y en el campo sardos. Estaba tan solo que me sentía al borde de una catástrofe. Era tan libre que me sentía incómodo. Trabajaba como lector en la Universidad. Esto no implicaba un esfuerzo excesivo: algunas horas a la semana, el estudio de algún libro, espacios de conversación. El resto lo pasaba en la casa que compartía con una pareja (ella era mi alumna). La casa, típica de campo, se hallaba a doce kilómetros de la ciudad. Tenía las paredes enjalbegadas en medio de un campo de viñedos. Estábamos en enero. Hacía mucho frío (bueno, hacía mucho frío para mí). No caía nieve porque en una isla del Mediterráneo es difícil que caiga nieve. Llovía sin embargo a diario. Una llovizna fina, obstinada. Yo creía que las nubes habían bajado hasta la tierra. Lo más impresionante era el silencio. Un silencio que lo mismo tenía de mágico que de perverso. A veces cerraba los ojos para hacer más intenso el silencio. A veces usaba mi *walkman*, Luigi Tenco, *Mi sono innamorato di te / Perché non avevo niente da fare...* Por las mañanas, bien temprano, veía pasar un rebaño de ovejas, acompañadas de pastor y perro —imprecisos por el espesor del viento y la llovizna—. Entonces no conocía bien el extraordinario valor de la palabra "destierro". ("Escribir es defender la soledad en que se está. Se escribe para reconquistar la derrota sufrida siempre que hemos hablado largamente". Inmensa como siempre, María Zambrano). Ignoraba todo el beneficio de estar lejos de casa, de no tener casa, de mirar un paisaje (real) con la misma feliz extrañeza con que se mira un cuadro de Chagall o los Nenúfares de Monet, por ejemplo. Un imperativo categórico te obliga a reconstruirlo cuanto dejaste atrás, cuanto perdiste. El recuerdo no resiste la realidad de la campiña mediterránea. (El sustantivo "campiña" es la palabra apropiada —hablando de Cuba, nunca se diría "campiña", salvo en las letras de unas canciones de cierta cursilería naif llamadas "guajiras"—). El recuerdo, digo, no quiere dejarse borrar por un pastor que traslada sus ovejas bajo una llovizna terca. Entonces no queda otra que buscar el sillón, la ventana y la libretica de notas. Así fue como empecé a ordenar las imágenes que dieron lugar a *Tuyo es el reino*.

Como ha pensado tanto que solo hay un tema filosófico verdaderamente serio, sabe que nunca se suicidará. Se dice que es la solución ideal para cuando las circunstancias sean insoportables. El problema (y esto también lo sabe) es que las circunstancias nunca son todo lo insoportables que se precisa. Sin embargo, jugar con la muerte por mano propia, como dicen algunos psicólogos forenses, otorga cierto grado de autocontrol (aun cuando en rigor sea "autodescontrol"), un cierto grado de independencia, de poder sobre los demás. Como es un hombre obsesionado con la belleza, hay estrategias que se ha visto obligado a desechar, como el ahorcamiento, por ejemplo, que provoca un cadáver grotesco. O lanzarse desde un séptimo piso, que hace del cadáver una especie de marioneta rota. O el disparo en la boca, que ensuciaría las paredes con una materia de un gris viscoso —salvo que se opte por el método José Asunción Silva, que se disparó en una cama, oculto por una cobija—. Ciertos venenos también ofrecen despojos nauseabundos. Acaso lo ideal sería imitar a Virginia Woolf y entrar al río con piedras en el bolsillo. O imitar a Alfonsina Storni que tres años antes que la escritora de Bloomsbury, fue aún más intensa y entró definitivamente en el océano Atlántico. Un caso extremo y sin duda imposible de imitar, el del exquisito escritor cubano (y exquisita persona —alguno debía haber—) Miguel Collazo, que se clavó en el pecho una aguja de coser zapatos. Incluso en casos así, se precisa de una cierta autocompasión. Para morir como Yukio Mishima es preciso ser japonés —y ser japonés solo está concedido a los japoneses—. Una nueva modalidad, el *copicide*, permite salvar el miedo al poner tu muerte en manos de otro. Un *copicide avant la lettre* puede ser José Martí, aunque no lo hiciera por miedo, sino por el alto concepto que tenía en los poderes del mito. Él sabe que existen innumerables posibilidades y ha fantaseado con todas. Como era de esperar, la fantasía con que se apropia de cada caso, provoca en él tiempos breves de serena reconciliación. En tanto vive, se deja vivir. Existen incluso momentos (cuando pasea por el campo, o escucha los *Preludios*, de Scriabin, o comparte con familia y amigos una cena copiosa) en los que se alegra de no haber sucumbido a la tentación del suicidio.

23

Ni siquiera estoy seguro de que aquella sopera fuera verdaderamente de porcelana inglesa. Sí tengo la certeza de que era el más valioso de los objetos de la casa, con su tapa cubierta de damas y caballeros victorianos en bosquecitos perfectos y victorianos. Nunca se usaba, ni en las grandes ocasiones —no había ocasiones tan grandes para aquella sopera—. Recuerdo el momento exacto en que las vasija llegó a la casa. Yo era muy niño. Supongamos que hablo de antes de 1961, que fue el año en que el régimen de Castro expulsó a las monjas Carmelitas de la Caridad. Las hermanas, con quienes mi madre colaboraba a menudo, tuvieron la delicadeza de llevarle el regalo de aquella sopera antes de salir para siempre en un barco hacia el puerto de Cádiz. A mi madre la conmovió aquel gesto que, aunque ella lo desconociera entonces, terminaba por concluir una época. Cuatro o cinco años después, mientras buscaba algún juguete, cualquier cosa, no lo sé, tiré al suelo la sopera cuya porcelana se deshizo en mil pedazos. Ahora, al cabo de tantos años, comento a mi madre cuánto me dolió haber roto la sopera de las monjas. ¿La sopera?, pregunta ella con tono desconfiado. ¿Qué sopera? Hago la descripción de la pieza, rememoro la tarde en que las monjas le llevaron el regalo. Mi madre, que tiene mejor memoria que yo, cierra los ojos antes de reconocer que la única sopera que había habido en mi casa la compró ella en unas rebajas de la tienda Quincallera, la que estaba en la calle 118, más conocida como Calle de los Cocos.

24

—¿Qué escribes ahora? —te preguntan. Y tú no sabes ya si contestar con rabia o con risa: —¿Qué escribo? Escribo: eso es todo. Escribo conforme voy viviendo. Escribo como parte de mi economía natural [...] ¿Qué estoy escribiendo? He aquí lo que estoy escribiendo: mis ojos y mis manos, mi conciencia y mis sentidos, mi voluntad y mi representación [...]

Así escribe uno de los más espléndidos ensayistas que ha dado la lengua española, Alfonso Reyes, en la primera parte de un ensayo titulado "Fragmentos de arte poética", aparecido en *Ancorajes*, Tezontle, México, 1951. En la segunda parte, recalca:

> Pero hay que contar con la vida larga. Piensa en ti según el mito de Osiris; piensa en ti como si nacieras despedazado y tuvieras que juntarte diligentemente trozo a trozo [...] Que el cómputo de tus años te deje cerrar la trayectoria. No te desvanezcas tampoco: nadie ha probado que esto valga más que aquello. Cada uno en su curva, todos los planetas adelantan con igual dignidad.

Y luego, en la tercera parte, viene el contrasentido que es, al fin y al cabo, la afirmación más sensata: "Si tal ha de ser tu destino, arde y desaparece. No necesita más la luciérnaga ni la centella [...] Hasta para la verdadera longevidad importa amanecer cuanto antes".

25

Y es así que ignoro tu concepto del triunfo. Si quieres pasear por una alfombra roja, entonces no pierdas el tiempo con la butaca, la lámpara y el cuaderno Moleskine. Si quieres engrosar tu cuenta bancaria, dedícate a la venta al por mayor de hamburguesas de ternera (una buena idea es mezclar la carne con la soja). Puedes asimismo dedicarte a la política, si te sientes con el cinismo suficiente y si se te da bien burlarte de los otros con la mayor desfachatez, y, sobre todo, mentir, mentir limpiamente, sin que se note. También, y en última instancia, puedes escribir novelas policíacas: hay un modo práctico de escribirlas sin que la vida te vaya en ello. No es que sea demasiado fácil; tampoco, demasiado difícil. Por supuesto, hay otras maneras de entender el triunfo. Y no voy a recordarte la comodidad de la butaca, la bondad de la luz de tu lámpara de IKEA, el buen papel del cuaderno. Estas son experiencias demasiado personales.

26

Se habla mucho de la confusión de nuestra época. Libros y autores pésimos elevados a la categoría de libros excelsos, de grandes personalidades. Y cabe la pregunta ¿no habrá sido siempre así? En el siglo XIX, Eugène Sue tenía más lectores que Stendhal. En 1912 André Gide rechazó, para la *Nouvelle Revue Française*, el manuscrito de lo que entonces se llamaba "El tiempo perdido", de un tal Marcel Proust; ese mismo año, Gide y la propia *NRF* publicaron *Lévy*, de Jean-Richard Bloch. En 1943 se publicó *El pequeño príncipe*; ¿y quién recuerda que ese año se terminó de publicar *El hombre sin cualidades*? En última instancia, y para abreviar, es un asunto que tiene que ver con la sociología, con las peripecias de las simpatías personales, con las reverencias más o menos profundas que el autor esté dispuesto a hacer, y más aún con actividades comerciales —no con la literatura—. La vida no premia ni castiga, no condena ni salva, decía Virgilio Piñera, quien conoció bastante el desprecio. No hay mayor desprecio que no ser publicado. Los últimos once años de su vida, Piñera estuvo sumido en el ostracismo y, por tanto, en el más riguroso silencio. Lo admirable está en que durante esos once años no paró de escribir: completó ocho libros, ocho inéditos, casi uno por año. ¿Y quién habla hoy de una novela premio Casa de las Américas 1971 titulada *La última mujer y el próximo combate*? Es (si es que algo es) solo un título entre otros muchos. Numerosos libros de esa época han pasado a mejor vida —o a peor vida, según se mire—. Nadie los lee, nadie habla de ellos. La fe en la literatura nada tiene que ver con la fe en Dios. En medio de la oscuridad y el silencio, el que cree en Dios cierra los ojos, se arrodilla y espera. En las mismas circunstancias, el escritor trabaja.

27

> *¿Y quién le ha dicho que la verdad*
> *esté en el cuarto y con las piernas abiertas?*
> *Para nosotros la felicidad ha sido resistir*
> *hasta la muerte diciendo no a todos.*
>
> VIRGILIO PIÑERA,
> "El no".

Estaría bien recordar una novela breve de Heinrich von Kleist titulada *Michael Kohlhaas*. Y también otra de Herman Melville, *Bartleby, el escribiente*. Se ha hecho célebre su frase: *I would prefer not to.* "Un hombre rebelde [escribió Albert Camus] es un hombre que dice que no". El no. No. Decir que no. O un sí que es un modo de gritar ¡no!

En una pieza teatral de Virgilio Piñera titulada precisamente *El no*, escrita en los años sesenta, una pareja de novios se dan *el no*, deciden no casarse en contra del veredicto de los demás. La obra comenzó a ensayarse. No obstante, el Estado, que se arroga el derecho de todas las posibles negaciones, dijo que no y la obra se prohibió. Tengo entendido que una actriz nacida en Barcelona, que llegó a La Habana con siete años y que ha ganado el Premio Nacional de Teatro, fue la que llamó la atención de las autoridades sobre la peligrosa negativa de *El no* de Piñera. Con esa delación, la actriz dio paso al *no* estatal. La diferencia entre un no y otro está bastante clara. No es lo mismo que Bartleby exclame desapasionado: *I would prefer not to*, a que lo haga el Ogro Filantrópico, porque en este último caso el modo condicional del verbo "preferir" se confunde con el paredón de fusilamientos —y a veces no únicamente como metáfora.

28

Escribió Lezama Lima en "Preludio a las eras imaginarias", de *La cantidad hechizada*: "Cualquiera de los asombros que el hombre se niega a aceptar, es inferior al del unicornio que bebe en una fuente. Un árbol en el desierto es menos asombroso que el hombre por los arrabales, bajo la lluvia, cubriéndose con un periódico". No se sabe si lo escribió por la mañana, por la tarde o por la noche. Luego de algún razonamiento, concluyo que es probable que lo haya escrito por la noche, cuando la casa se hacía aún más pequeña y húmeda, y el asma le impedía dormir. Fue a la cocina, prendió la luz y no supo, no podía saber, si de verdad había inaugurado una cascada en el Ontario. Entonces, a veces, tenía la posibilidad de sobreponerse al asma y escribir sobre el asombro de un hombre bajo la lluvia, por los arrabales, cubierto con un periódico.

29

"Un libro, mientras no se lee, es solamente un ser en potencia, tan en potencia como una bomba que no ha estallado. Y todo libro ha de tener algo de bomba, de acontecimiento que al suceder amenaza y pone en evidencia, aunque solo sea con su temblor, a la falsedad".

(María Zambrano, "Por qué se escribe", en *Hacia un saber sobre el alma*).

30

Hay días de tedio total. Un tedio total es algo muy angustioso porque parece que no tiene fin, que no son días, sino la vida entera lo que se te viene encima como la lápida pesada del Gran

Aburrimiento. Ni siquiera es *spleen*. Nada que ver con la nostalgia ni, por supuesto, con Baudelaire (*Je sais la douleur est la noblesse unique...*). Tampoco la sensación de que la vida es absurda, que te identificas con Sísifo. Es algo más simple y tal vez más difícil de remediar: un bostezar tras otro, una languidez que carece de encanto. No te acechan los deseos de cuando eras joven, irte navegar por el Mekong, cazar ballenas, cortar coníferas en Oregon, establecerte en la Ciudad Libre de Christiania. Son días en que está más presente que nunca aquel saludo de Olga Andreu: "Por favor, cuénteme algo que me estremezca". Aunque también son días en que no sabrías qué responder a semejante petición. Es como si el páramo en que se ha convertido tu archipiélago perdido se extendiera al mundo conocido.

31

La mayoría de las veces, después de clases, hacia las cuatro o las cinco de la tarde ibas andando hasta casa de tu amigo Otto que vivía cerca del mar. Era un viaje diario, rutinario y al propio tiempo asombroso. O en aquellos años no había tanto calor o no lo sufrías como lo sufriste después, o simplemente el recuerdo se ha ocupado de borrar lo molesto, el sofoco, las calles que parecían de agua bajo el sol y su espejismo. Las tardes tenían por lo general una transparencia que daba gusto. La luz era excesiva, en efecto, pero no había de qué quejarse. A nadie se le habría ocurrido pensar en otra luz, en la de Venecia o en la de Praga, por ejemplo. Carecía de sentido imaginar la vida más allá de lo posible. Ustedes padecían de una tranquila ignorancia que también puede llamarse resignación. Había cierta alegría en las calles a esa hora de la tarde. La alegría de quien no tiene otro remedio que andar alegremente. O te alegrabas o terminas vencido; solo había dos opciones. Cierto, una alegría condicionada, artificiosa quizá, lo que los otros esperaban de personas que viven bajo el sol, cerca de la playa: poca ropa, música a tope, sonrisa imbatible, hablar a gritos, caminar como si se bailara, miradas entre inocentes y libidinosas. Sin embargo, si había una hora tranquila en ese lado de La Habana, era aquella entre las dos y las cinco, las seis de la tarde. Bajabas por la antigua puerta principal del cuartel de Columbia, atravesabas Buena Vista y llegabas a casa de los Menéndez-Rojas, frente al aeropuerto militar. A veces, desde antes de llegar a la casa, te llegaba el olor del pelo quemado. Las hermanas de Otto no aceptaban el pelo de negras, la pasa, y lo alisaban con un peine metálico que previamente se calentaba. El resultado no estaba mal, solo aquel olor a Juana de Arco. Otto se reía de ellas. Como si estuviera orgulloso de su pelo, de su raza, él llevaba un afro como el de Jimmi Hendrix. Otto se parecía un poco a Jimi Hendrix. Él lo sabía y por eso tenía siempre la camisa abierta hasta medio pecho y un cierto aire de triunfador, de malandro aristocrático, entre el refinamiento y la zafiedad, como si una de sus dos mitades se resistiera a la otra. Siempre con una sonrisa de burla y aquella mirada dulce y sarcástica y paso elástico, como el de un boxeador *welter* ligero. Iba siempre también con un optimismo inexplicable. Tú y tu amigo, los dos amigos, el blanco y el negro, que se iban al mar cada tarde. Tú solo no lo hubieras hecho, por supuesto. A unas cuadras de la casa de los Menéndez-Rojas, estaban los antiguos clubes náuticos, reconvertidos en "círculos sociales obreros". (Las revoluciones suelen tener mal gusto para nombrar). La lucha de clases también se hizo sentir en las playas, como es natural, y se derribaron las tapias que impedían el paso de un club a otro, y la playa fue una sola playa democrática. A pesar de su chapucería, esto tenía sus ventajas: ustedes saltaban de un balneario a otro, nadando a veces. A veces se echaban en el muro que separaba la playa del mar abierto. La sensación tenía algo de vertiginoso. Un miedo agradable, el efecto inestable de estar entre dos aguas. Comenzaba a caer la tarde. Desaparecía el paisaje, el muro, el mar, la playa, los bañistas, el edificio a lo lejos y ustedes quedaban (¿lo recuerdas?) como entre en el aire y los celajes prendidos por el último sol.

32

Robert Louis Stevenson en "La moralidad de la profesión de letras":

"De ahí que en la mayor parte del ámbito literario, la salud o enfermedad de la mente del escritor o su estado de ánimo conformen no solo un rasgo prominente de su obra, sino que son, en el fondo, lo único que puede comunicar a los demás".

(*Ensayos sobre el arte de escribir*, Ediciones Rialp, S. A., Madrid, 2016).

33

Y hablando de estados de ánimo... Recuerdo una madrugada de Barcelona. Habíamos pasado buena parte de la noche en un bar delirante del Raval llamado La Concha, llevado por marroquíes, con las paredes atestadas de fotos de Sara Montiel. Llevábamos esa tristona alegría de quienes saben que el consentimiento de la noche estaba a punto de terminar. Al amanecer todas las cosas regresarían poco a poco a su lugar, con el agregado de la resaca. Doblamos por el carrer de Sant Pau, quizá rumbo a la Rambla del Raval. Allí, en la esquina donde estaba el bar Marsella, había dos hombres conversando. Eso en sí carecía de cualquier importancia. Nos llamó la atención porque era octubre, pleno otoño, y los dos hombres estaban sin camisas, uno de ellos, incluso, con pantalón de pijamas. Uno era más joven y más alto, y se le veía tranquilo, seguro de sí mismo. No es que el otro pareciera nervioso, solo que, en comparación, tenía quizá las de perder. Así sucedió. El más joven, el más alto (en un ademán tan rápido que fue como un acto de magia) hizo aparecer el brillo de un cuchillo a la luz del farol de la esquina. Dejó ver el cuchillo un instante y en otro instante lo ocultó en el vientre del que tenía el pantalón de pijamas. Sin desesperación, sin saña, como algo perfectamente natural. El apuñalado no se derrumbó al instante. Titubeó, como si hubiera algo que no acabara de entender, cayó de rodillas y luego hacia delante sin excesiva prisa, como si hubiera iniciado una plegaria. El más alto, el más joven, el del cuchillo, se alejó tranquilamente, sin mirarnos. Alguno señaló, sin convicción, que debíamos llamar a la policía. No hicimos caso. Subimos en silencio. A la ciudad se la veía tranquila, medio dormida. Cuando amaneció, andábamos todavía por la plaza de Tetuán, a punto de subir por el paseo Sant Joan.

34

En la medida de lo posible, quiere disfrutar todo,
tener todo, pero puesto que eso es imposible.
quiere al menos dominarlo todo.

ARTHUR SCHOPENHAUER,
Los dos problemas fundamentales de la moral.

Y si hiciéramos una pregunta al hombre que nos llevó al desastre: Aparte de satisfacer tu ego, tu afán de poder, al final, ¿qué lograste? Después de tantas muertes, tantos fracasos, tanta hambre y tanto despojo, después de tanta huida, de la estrategia de tierra arrasada, puedes decirnos, por favor, ¿qué lograste? Si dejaste ciudades saqueadas, tierra baldía, personas devastadas, un desastre que, con toda seguridad, no podrá repararse salvo con un milagro —y ya sabemos qué son los milagros—, ahora tocaría explicar la razón de la destrucción y el espanto. Y no solo perdimos la tierra por la que andábamos; perdimos la tierra sobre la que soñábamos. Y, lo peor, sabemos que no vas a contestar. No, en efecto, no hay respuestas.

35

Una novela se escribe (y se lee) para provocar las respuestas que no habrá.

36

Si existiera para mí el infinito, estas consideraciones podrían llegar a ser interminables. Sé, no obstante, que si existiera para mí el infinito no tendría necesidad de responder estas preguntas ni ninguna otra. Cada minuto, cada hora, cada día, cada cosa, cada detalle, cada sensación, cada sabor, cada olor... (etcétera), podría responder a la pregunta con la que he titulado estos párrafos sin pies ni cabeza, porque cada uno de esos estímulos se convierten, apenas un brevísimo instante después, en nostalgia. *Tout, au monde, existe pour aboutir à un livre* (Mallarmé *dixit*). "El mundo existe para terminar en un libro". El mundo, y de paso cada uno de nosotros (lo sepamos o no) tenemos desde bien pronto la nostalgia de una forma, de una estructura. Un destino que rete al destino. No es verdad que la realidad supera la ficción. No es verdad, nunca, por más vueltas que le demos. La realidad es confusa, sin orden, siempre incompleta, carece de todo cuanto en la ficción es transcendental. Si la vida es parcial y fragmentaria, las historias de la ficción son completas y, aun las que se quieren fragmentarias, tienden al sistema. La gran venganza del hombre frente a la vida consiste en establecer una organización y, por tanto, una teleología de la que nos despojó la muerte de Dios. El orden en el caos. Introducción, desarrollo y desenlace. En el tomo dos de su *Répertoir* (en español, *Sobre la literatura*, Seix-Barral, Barcelona, 1967), en un ensayo titulado "Poesía y novela", Michel Butor escribió: "El novelista es el que advierte que una estructura está esbozándose en lo que le rodea, y es quien va a buscar esa estructura, a hacerla crecer, a perfeccionarla, a estudiarla, hasta el momento en que sea legible para todos". Los acontecimientos inteligentemente ordenados, o inteligentemente desordenados respondiendo a un orden secreto, ahí está la preeminencia de la novela sobre la realidad, sobre la realidad real quiero decir. Buscamos en las novelas algo de lo que carecemos en la vida: un final. Nuestras vidas carecen de final. No hablo aquí, por supuesto, de la eternidad, sino de todo lo contrario, de la muerte. Total. Definitiva. El final de nuestras vidas es final solo para los demás, para nosotros no es nada, porque carecemos de la posibilidad de leerlo, de narrarlo, de comprenderlo. No hay epílogo en nuestras historias y queremos, exigimos, tenemos la necesidad de un final.

37
Epílogo
La ansiedad por encontrar una forma y la nostalgia del final

Paso unos días en casa de mi amiga M. A. Oliver, en Valldemossa, un pueblo entre la Sierra de Tramuntana, a más de veinte kilómetros de Palma de Mallorca. La generosidad de mi amiga me permite intentar el proceso de la que, quizá, sea mi última novela. La casa es de principios del siglo XIX y mira hacia la cartuja, hacia la plaza de la cartuja, hacia las montañas del sureste. Como es invierno y hay mucho frío, el pueblo está vacío y silencioso. Hay frío, viento excesivo y un silencio inquietante, que no pertenece a estos tiempos y que yo solo he sentido en otro lugar, en otra ciudad, Olomuc, una pequeña, mágica, localidad de Moravia. La casa tiene un belvedere desde el que se divisa bien la cartuja donde sufrieron Chopin y George Sand entre noviembre de 1838 y febrero de 1839. Él compuso acá (al menos eso se dice) alguno de sus preludios, y ella escribió un buen libro. La casa de M. A. también tiene de frente el palacio del rey Sancho, luego casa de los Sureda, donde pasaron largas temporadas Unamuno, Azorín y Rubén Darío. Ahora son las diez de la noche. He dedicado el día a tomar notas a mano (cosa que no suelo hacer, perdí la habilidad de escribir a mano, el brazo se me cansa) en un cuaderno Moleskine. Luego las pasaré al ordenador (nunca mejor dicho). Por la tarde estuve leyendo un libro sobre el olvido, *Leteo*, de Harald Weinrich ("Verde moho es la casa del olvido": verso de Paul Celan, otro suicida). Mañana continuaré, no muy temprano —es triste despertar demasiado temprano, es terriblemente triste despertar antes de que amanezca—. Y ahora necesito salir a dar un paseo. La noche se presenta larga, acaso un poco desesperada. Bajo a la calle con una linterna: no me fío ni de mis ojos ni de mis piernas: soy más viejo de lo que soy, sé que he vivido muchas vidas y que tengo más años de los que constan en los documentos legales. En la plaza de la cartuja estoy solo. No hay siquiera un perro callejero, si es que existen perros callejeros en Valldemossa. Ilumino con la linterna el suelo por miedo a las calles de piedras. Paso por delante del palacio del rey Sancho y me adentro por uno de esos pasajes estrechos que bajan hacia el mirador. Sé que ante mí están las montañas pero no las veo. Es la oscuridad lo que tengo delante, un vacío negro. Se escucha el aire que baja o sube desde no se sabe dónde. Quiero saber del olvido, me digo, porque también necesito entender el recuerdo. La novela deberá explicar eso, el estrecho atajo entre el olvido y el recuerdo. Y, por supuesto, será una novela que tendrá mucho que ver con la crueldad que nos tocó vivir. (¿Y cuándo no hubo crueldad?). En este momento, no obstante, estoy aquí en el mirador desde el que ahora mismo nada se ve, nada, a la espera de algo que ignoro. Me digo que he pasado la vida esperando algo que ignoro. Y entonces hay como una aceptación propicia, y sé que es bueno saber que mañana volveré a intentarlo, escribiré otro poco, sin pensar en nada más, solo en eso que escribo. Recuerdo el final de aquel libro donde Albert Camus hace una sabia petición: "Hay que imaginar a Sísifo feliz".

Una foto en la ciudad celeste

Ignoraba que, precisamente,
no se le permitiría protesta alguna,
por débil que fuera.

Virgilio Piñera,
"Un fogonazo"

1

La foto reúne a los habituales. También a otros que iban de cuando en cuando, incluso a los que solo fueron en una ocasión, en esa precisa ocasión —y a eso se le llama tener mala suerte—. Al centro, se puede ver a Juanita Gómez, la hija del prócer, de Juan Gualberto Gómez, el hombre encargado de dar la orden de alzamiento el 24 de febrero de 1895, para comenzar la guerra que terminó con el gobierno español y dio paso a la república. A su lado, Virgilio Piñera, el escritor a quien la misma república marginó y a quien la revolución de 1959 convirtió en muerto viviente. Están asimismo los hijos de Juanita, en especial Yoni Ibáñez, diseñador y pintor. Hay algún aspirante a retratista que no llegó a nada; un grabador; un viejo bailarín alumno de Marta Graham; un diabético a punto de morir; un buen hombre que es además buen profesor de latín; un joven lánguido que quiere ser escritor... Hay, por supuesto, muchos esnobs. Algunos han muerto años después de sida, en el Nueva York que consideraron la "tierra prometida" (y que de algún modo lo era). El lugar de la foto es el jardín de los Gómez, el lado izquierdo de la galería lateral que alguna vez perdió su techo, razón por la que el escritor muerto (pero vivo, como es natural, en el momento de la foto), Virgilio Piñera, ha bautizado como La Ciudad Celeste. De la foto no puede deducirse la inmensa humedad de los árboles ni el olor de los árboles. Tampoco se sabe, aunque se intuya por el vestuario, los peinados, y cierto aire atemorizado de los presentes, que se trata de la noche de un sábado temprano de 1977. Detrás de la cámara, al fotógrafo (hombre calvo, feo, desagradable —cuyo nombre tal vez no valga la pena revelar—) se le puede suponer cierta alegría malévola. Para él ha sido una velada exitosa. Está logrando muchas victorias esa noche: la menos importante ha consistido en inmortalizar el momento.

2

Algunos meses antes, Piñera había escrito uno de sus últimos cuentos, titulado "Un fogonazo". Lo escribió de madrugada, como escribía siempre, con una o muchas tazas de café frío y un cigarro tras otro. Según confesión propia, lo hizo de un tirón. En él se narraba la historia de Gladys, a cuyo auto se le poncha una goma justo frente a la casa de Alberto. Gladys toca a la puerta para pedir ayuda. Se encuentra con Alberto arrodillado junto a un confesionario. En realidad, y para abreviar, es un grupo de personas secuestradas en el apartamento de Alberto por un fotógrafo (vesánico) llamado Juan. La pretensión del fotógrafo era, al retratarlos sonrientes, habitantes del "mejor de los mundos posibles", convertirlos en cosas, en maniquíes podríamos decir para no andarnos con rodeos demasiado solemnes. El gran triunfo del fotógrafo del cuento consistía en obtener dos fotografías: una en el papel y otra en la realidad. Es decir, la imagen doble e igualmente inanimada. ¡Qué maravilla de fotógrafo! Su cámara no solo captaba la imagen para inmortalizarla, sino que, al hacerlo, destruía lo real, lo convertía en desastre.

Un puesto militar en tiempo de paz, ¿es siempre un lugar monótono?

Pero la ciudad no solo se establece como un sujeto literario
o lo que es igual, no solo es escrita, sino también
comienza a ser leída como un texto.

EMMA ÁLVAREZ-TABÍO ALBO,
Invención de La Habana

... la realización del viejo sueño humano del laberinto.
A esa realidad, sin saberlo, se consagra el flâneur.

WALTER BENJAMIN,
El libro de los pasajes

1

El primer recuerdo que tengo de La Habana es el de un puesto militar. Es un recuerdo con una textura tan antigua que a veces pienso que es un sueño o, algo aún más sugerente, que no es un recuerdo mío. Sin embargo, existen testimonios fotográficos. Estoy cumpliendo tres años; voy vestido de *cowboy*. Mi padre, que es soldado, trabaja en el Cuerpo de Señales del cuartel de Columbia. Ahora, mi madre me explica que es el día de mi cumpleaños, es decir, el 7 de enero. El traje de *cowboy* ha aparecido precisamente bajo el árbol (todo azul) de Navidad. Y se supone que el día posterior a los Reyes Magos, soldados y oficiales llevan a sus hijos al campamento. Una especie de jornada de puertas abiertas con niños y juguetes guerreros. Recuerdo (creo recordar) la primera posta, entre el Asilo de Ancianas y la escuela primaria Flor Martiana. Vuelvo a ver el orden extraordinario y propio del puesto militar (que, en tiempo de paz, es sin duda un lugar monótono), las aceras limpísimas del campamento, los jardines cuidados, los árboles caprichosamente recortados, los antiguos barracones de madera, mandados a construir por el general Fitz Hugo Lee, ya para entonces transformados en confortables edificios. Vuelvo a detenerme (o eso creo) en la inmensa explanada del polígono (entrevista desde la azotea de la casa de mi abuela), y donde por primera vez me sentí demasiado pequeño y vulnerable. Iba vestido de *cowboy* y llevaba al cinto un revólver de fulminante, y faltaban muchos años para que leyera "Rapsodia para el mulo" y "Confluencias", de José Lezama Lima. En estos días de evocación, me da por sospechar que, al observarlo todo con los ojos de un niño, creí intuitivamente en la eternidad de cuanto veía. Por supuesto, no pensé que ni yo ni aquel paisaje fuéramos indestructibles. Los niños no piensan así. Los adultos a veces tampoco. Aunque de algún modo lo sentí. O lo supe. Y creí, supongo que creí, en la falacia de que mi destino estaría siempre vinculado a aquel lugar de corrección y orden, donde cada espacio parecía creado "para siempre".

Es cierto que nuestra vida giraba en torno al puesto militar. Había también un centro alrededor del cual gravitaba todo: el monumento a Finlay, al que llamábamos el Obelisco, así como los cuatro edificios que intentaban conformar un "complejo arquitectónico": la Escuela del Hogar, la Escuela de Kindergarten, Flor Martiana, el Asilo de Ancianas. Y lejos (tan lejos como quisiéramos verla) estaba La Habana, nuestra "tierra prometida". Todas las semanas había que ir de compras a La Habana. Por tanto, mi segundo gran recuerdo es el de un viaje. La preparación, la consecución de un viaje que tenía siempre una o varias recompensas: la merienda en el Ten Cents de la calle Galiano (Coca Cola y "bocadito preparado"), y algún juguete (no demasiado caro) comprado en los portalones de la calle Prado. Un viaje a La Habana, como quien se va al otro lado del mundo. Y lo que encontraba allá nada tenía que ver con la ordenada disposición de las callecitas del campamento. Nada de monotonía: bullicio, multitud, pregones, música y lo que me parecía una gran elegancia. La calle Reina que se abría entre una iglesia gótica (hasta mucho después no podía saber que no era verdaderamente gótica) y un palacio neoclásico, el Palacio de Don Domingo Aldama, en cuyos portalones se veían todos los juguetes; la calle (llamada así por María Isabel Luisa de Borbón y Borbón-Dos Sicilias) con sus aceras techadas, y sus tiendas; la multitud iba de un lado para otro, aunque sin demasiada prisa. Y la calle Monte que para mí constituía uno de los puntos mágicos de la ciudad, cuando se descubría en el Parque de la Fraternidad. Bajábamos luego por Prado, por delante del Capitolio, hasta la calle San Rafael, que recuerdo como una de las más hermosas y elegantes del mundo. Y la calle Galiano, la de los *grands magazines*. Ya por esas avenidas, mientras aprendía a leer, aprendía también a *leer* la ciudad. Primero, de un modo elemental: los anuncios, los carteles de las calles, los nombres de las tiendas grabados en el granito de las aceras. Siempre he tenido la desesperante propensión a leerlo todo, desde un libro hasta un periódico viejo, pasando por los prospectos de medicamentos. Luego, por supuesto, se lee la ciudad de un modo quizá más arduo y secreto, que tal vez tenga que ver con entender qué hay detrás, descubrir que por ese otro lado se despliega un conflicto y se esconde un misterio.

(Teníamos un modo de competir con los grabados en granito de las aceras. Habíamos encontrado la manera de tentar la eternidad. Buscábamos por el barrio un pequeño espacio donde los albañiles hubieran acabado de hacer su trabajo. Nos armábamos de una pequeña rama de laurel. En el cemento fresco escribíamos nuestros nombres, alguna fecha, un corazón. Letras para siempre. Contra la intemperie, los aguaceros, los ciclones, el sol atroz, el tiempo no menos atroz).

Entiendo que cualquier gran ciudad posee sus temas, sus argumentos, sus tramas, sus personajes, su estructura. Y el forzoso misterio. Para mí, La Habana fue, es y será un complicado misterio. Nunca la entendí del todo. Decía Borges, en "La muralla y los libros", que "la música, los estados de felicidad, la mitología, las caras trabajadas por el tiempo, ciertos crepúsculos y ciertos lugares, quieren decirnos algo, o algo dijeron que no hubiéramos debido perder, o están por decir algo; esa inminencia de una revelación, que no se produce, es, quizá el hecho estético". Todas las grandes ciudades que me han impresionado han estado siempre para mí al borde de una revelación. Lo asombroso, no obstante, es que La Habana, ciudad en la que viví cuarenta y ocho años (lo que significa toda la vida), estuviera también a punto de la epifanía que se produjo a medias, o que se produjo de manera equivocada, o que nunca se produjo. La Habana ha sido para mí una complicada mezcla de gozo y malestar, de resistencia e impotencia. Y un hecho estético.

Como los buenos libros, La Habana se lee a ratos con júbilo, a ratos con angustia, mucho dolor y desesperación. Así, como todo libro, La Habana no se basta. Necesita del lector. Precisa de alguien con la sabiduría de quien va en busca de la "inminencia de una revelación que no se produce". También La Habana necesita del *flâneur*. Del *flâneur* que al propio tiempo sabe leer. Aunque ¿no será esa una condición indispensable del *flâneur*? ¿Y quién puede ser tan cínico de ser un *flâneur* en La Habana? Imaginemos de todas maneras, un lector de ese libro llamado La Habana, que tiene asimismo sus maneras propias de mirar, su psicología, sus filias, sus fobias, sus caprichos, su cultura, su odio, su incultura, su idiotez, sus prejuicios, su inteligencia y, por encima de todo, su sensibilidad. Tanto la ciudad-libro, como el paseante-lector, son seres vivos. El encuentro entre ambos reconoce una mezcla de triunfo y de fracaso. Porque (hablo por experiencia personal) La Habana es indescifrable. Y ya decía José Emilio Pacheco que "dure una noche o siete lustros, ningún amor termina felizmente...".

Esto, sin embargo, no es más que un poema y, quizá, una pequeña teoría.

(Cuando caían los edificios y se recogían los escombros, quedaba en las paredes aún en pie una prueba de la vida que hubo allí alguna vez. El color de la pared, azul, blanco o rosa. Las tuberías del agua y una ducha inservible desde muchos años atrás. La sombra de aquel cuadro, quizá el reiterativo Sagrado Corazón de casi todas las salas cubanas. Ventanas que no se abrían a ningún paisaje porque ya todo era paisaje).

En el anaquel de una biblioteca habanera, a más de ocho mil kilómetros de distancia, debe de estar mi ejemplar del *Diario florentino*, de Rainer María Rilke. Es un librito blanco, de una editorial argentina, sucio por el tiempo, el sudor, el uso, las diversas lecturas. Leído por primera vez en mi adolescencia (cuando aún anotaba en una libreta los libros que iba leyendo, así como alguna de las ideas peregrinas que despertaban en mí), encontré una reflexión que entonces me pareció perturbadora. Según Rilke, los florentinos no reparaban en la belleza de su ciudad. Vivían el día a día sin detenerse a admirar la Piazza della Signoria o la catedral de Santa Maria del Fiore. Algo que lo sorprendía, por supuesto, y para lo que encontraba una explicación: a fuerza de caminarla, vivirla a diario, Florencia se borraba para ellos. Acostumbrarse a la belleza, parecía decir Rilke, implica dejar de distinguirla. Muchos años después, cuando fui a conocer a Gastón Baquero al asilo de ancianos en el que ya se había recluido, este me dijo algo semejante. El extraordinario poeta sospechaba que los habaneros no sabían disfrutar de su ciudad. Para amarla verdaderamente, según él, habría que haber llegado de otras lejanías, como fue su caso, por supuesto, que salió de Banes hacia La Habana para lograr, entre otros prodigios, su famoso "Testamento del pez". ¿No era cierto acaso, continuaba explicando Baquero, que dos de los más brillantes escritores habaneros eran Lino Novás Calvo y Guillermo Cabrera Infante: gallego el primero, de Gibara el segundo? Agrego a Jorge Mañach, que nació en Sagua la Grande, y escribió un hermoso libro sobre La Habana.

Tampoco sé si estoy de acuerdo con esta otra pequeña teoría. No me gusta (no sé) teorizar. Cuando las preguntas siempre parecen más interesantes que las respuestas, no hay cuerpo teórico posible. Se trata de preguntar; nunca responder. Es probable que el rasgo de extrañeza del lector de una ciudad no venga solo de su lejanía física, sino además de su propia desesperación, de su soledad, de su rabia, de su nostalgia. ¿Y si vivimos, miramos, *leemos* la ciudad no como lo que es, sino como quisiéramos que fuera? ¿Y si nos ocurriera como a Max Jacob, en su palacio de Nápoles, que tiraba cada día dinero a una mendiga que no era tal, sino un cajón verde de madera con tierra y algunos plátanos? Y por otra parte, ¿para qué necesitamos las respuestas?

A los once o doce años, cuando tuve edad para que me permitieran *ir* solo a La Habana, me adentraba, sin saberlo, en "esa vieja realización del sueño humano del laberinto". No conocía más que aquellas calles por las que mi madre iba de compras. Lo demás me era desconocido. Quería tener el mismo conocimiento que tenía mi padre de la ciudad, capaz de saber el nombre de todas las calles. Miraba desde lo más importante hasta lo de apariencia más insignificante (que a veces puede ser lo más trascendental). También miraba a las personas, un hábito que nunca he perdido. Sin sospecharlo, era un *flâneur*. Iba por La Habana como quien se dispone a leer un libro en otro idioma. Y el lado más incitante del libro tenía que ver casi literalmente con el laberinto: las calles de La Habana intramuros, lo que se conoce como La Habana Vieja, tenían esa predisposición a la dificultad. Y entre los mensajes del presente ("el presente es de lucha, el futuro es nuestro"; "Cuba, primer territorio libre de América", "Primero se hundirá la Isla en el mar...") se combinaban con mensajes antiguos (Fábrica de Abanicos; Droguería Sarrá, La Mayor; Hatuey, la gran cerveza de Cuba). Me perdía por la calle Acosta, el Arco de Belén, antes de leer a Miguel Collazo. Llegaba a Empedrado sin conocer aún *El siglo de las luces*. O veía un cartel que anunciaba el hotel Ambos Mundos, el Floridita, un bar famoso llamado Sloppy Joe's sin saber a ciencia cierta quién era Ernest Hemingway. Andaba por el Prado y la calle Monserrate antes de haberme adentrado en las páginas de Guillermo Cabrera Infante. El Prado comenzaba con el monumento a un escritor, Manuel de la Cruz, y terminaba con el monumento a un poeta que luego sería importante para mí, Juan Clemente Zenea. Por la Esquina de Tejas pasaba el taxi de Ramón Yendía. En la calle Amistad (o puede que en Industria), había un café, el Daytona, al que me aficioné, solo porque tenía un hermoso mostrador de madera, detrás del cual brillaban los espejos, y había mesas de madera con servilleteros (sin servilletas) y sillas de Viena, tan habaneras. Iba en busca de una ciudad que ya no existía.

Poco a poco la ciudad se transformaba. Lo asombroso: cuando cambiaba sin cambiar, cuando daba la impresión de que se detenía en el tiempo, sin detenerse en realidad, porque ese parón de la vida, producía (produce), en rigor, las ruinas. Ese momento en que todo parecía fijo y en realidad se movía hacia las grietas y el derrumbe. La desidia, el peso de la historia, hacían su trabajo destructivo. La ciudad, su texto, cambiaba. Las lecturas cambiaban igual. El laberinto se complicaba. El minotauro tenía un aspecto cada vez más agresivo. Y era duro (demasiado) insistir en vivir una ciudad que no era la que fue, aun cuando conservara el alma, como le dice Alberto Marqués a Mario Conde mientras caminan por el Prado.

Soy de la periferia. Eso debe de significar algo. Nací en Marianao y me he aferrado a ese pequeño lugar. Es importante que para mí la vida haya comenzado en un puesto militar levantado por norteamericanos. Quizá sea la necesidad de tener un lugar inequívoco al que volver después de perderme por tantos lugares. De todos modos, las periferias también son las ciudades. Con el valor añadido de la lejanía. Es bastante probable que desde las periferias se esté en condiciones de *leer* la ciudad con mayor fruición. Opino, no obstante, que en la búsqueda de la ciudad que no existe, que acaso nunca existió, vamos intentando *reescribirla* para *leerla* de otro modo. Si no es así, ¿por qué intento descubrir cómo era Marianao en 1933 en una novela titulada *Archipiélagos*? Es la insatisfacción, por supuesto. El deseo de reconstruir lo destruido, de recorrer de nuevo la calle perdida, de levantar otra vez el edificio que se vino abajo, alzar las matas de mango y aguacate que alguien taló, sentir el gozo de los aguaceros cerrados e interminables, el aroma de las cocinas a la hora del almuerzo, el jazmín y el galán de noche, y la noche estrellada ("blanca de galaxias"), estrellas que, por alguna razón, se apagaron. El olor a melao y el hollín que llegaban del central Toledo. El deseo de disfrutar del mal olor de la bahía, porque, como decía Baudelaire, "me gusta rodearme de una amable pestilencia". Y porque hay belleza en todo eso (en la bahía), incluso en el horror (de la bahía).

Hablando de aguacates y mangos y mameyes y helechos y flores de todo tipo y condición..., se hace preciso hablar de Mantilla y de una quinta, la quinta de los Gómez, la casa fundada por Juan Gualberto Gómez en la Calzada de Managua. Era la segunda quinta que visitaba en mi vida. En rigor, la tercera, puesto que le doy a lo leído la categoría de lo vivido. La primera quinta que recuerdo aparecía en mi libro Segundo de Lectura. Según los grabados, se accedía a ella por una carretera sembrada de palmas reales, como la que lleva el Recinto Río Piedra, en San Juan, Puerto Rico. El caserón central tenía un portal corrido (por eso tal vez he soñado siempre con las casas de portal corrido). Y, por supuesto, muchos árboles, animales, y unas personas muy elegantes, vestidas de blanco, sentadas en sillones de mimbre. La segunda quinta fue la de los Peguero, hacia Santiago de las Vegas. Es un recuerdo difuso: yo tendría cuatro años. No olvido, sin embargo, la arboleda, en uno de cuyos claros estaba la barbacoa donde se torraba lenta la carne. Aquellos domingos en la quinta de los Peguero fueron de gozo, fuego y despreocupación. Los otros, los sábados de la quinta de los Gómez, fueron de gozo, fuego y preocupación. Llegué por primera vez una noche de julio de 1975. Yo tenía veintiún años. Habían transcurrido diecisiete años desde los domingos en casa de los Peguero. Fui a conocer a los Gómez: a Juanita, la hija del prócer; a Yonni, Fina, Olga Ibáñez, hijos de Juanita. Mercedes Ibarra Ibáñez (Papola), la nieta y sobrina. Y fui a conocer a Virgilio Piñera. Y allí me quedé dos años completos: hasta que nos prohibieron volver. Difícil encontrar una quinta como aquella en toda La Habana. No solo por aquella arboleda perdida, sino además por el modo de vivir de la familia Ibáñez-Gómez. Aquel *salón* que, a su manera, nada tenía que envidiar al de la princesa Matilde. Las champolas inolvidables. Los jugos de mango como no he vuelto a probar otros. Las frituras de bacalao. Los buñuelos. El dormir de día y vivir de noche. Y muy en primer lugar el lograr un milagro: Virgilio Piñera tuviera algunas horas, cada sábado, en las que se sentía escritor, y, sobre todo, una persona que, como él mismo diría, estaba "vivita y coleando".

Dije al principio que un niño de tres años, vestido de *cowboy* el día de su cumpleaños, en el polígono del cuartel de Columbia, intuyó de algún modo lo indestructible de aquel espacio y de aquel momento. Lo verdaderamente probable es que sea este adulto (cansado y viejo) quien ponga en el niño la creencia, la convicción de que el destino estaría vinculado al territorio de la infancia, a la ciudad, para *toda la vida*. Una parte de nuestro esfuerzo ha sido justo comprobar que existe un lugar que nos pertenece. Para siempre. Y, en este caso, la frase significa exactamente eso: para siempre.

Lugares de placer

1

En la casa de mi niñez había algunos libros, muy pocos. Recuerdo siempre una breve colección de biografías para niños (que leí completa) y un tomo muy antiguo con algunas obras para teatro de los Hermanos Quintero (que nunca leí). En alguna ocasión alguien nos regaló dos o tres ejemplares de *El tesoro de la juventud* y fue durante mucho tiempo una verdadera fiesta, o quizá fue siempre una verdadera fiesta, hasta que salí de La Habana para siempre, y allí, en mi casa habanera que ya no es mía, aún está, desenterrado, *El tesoro de la juventud*. Precisamente esta enciclopedia para niños y adolescentes (en cuya elaboración habían participado don Miguel de Unamuno y José Enrique Rodó) se hallaba completa, veinte espléndidos tomos que llenaban un largo estante de la primera biblioteca a la que tuve ocasión de entrar: la de mi escuela secundaria. Fue allí donde, con once años, tuve ocasión de experimentar por primera vez el sobresalto de estar rodeado de libros. Libros ordenados, clasificados, con sus exlibris y sus tejuelos bien puestos en el extremo inferior de los lomos. De inmediato, ignoro el porqué, me sentí muy cómodo en aquel espacio semicircular que formaba la biblioteca, con amplios ventanales que se abrían a las avenidas y al obelisco en honor al sabio cubano Carlos J. Finlay. No puedo explicar la razón: cuando terminaban las clases y los demás alumnos se iban al campo deportivo, yo permanecía allí, observando, estudiando el orden de los ejemplares, quién estaba al lado de quién (imaginando qué pensaría cada escritor de la compañía que por orden alfabético le había tocado), sintiendo el olor a papel viejo y a polvo, escuchando el silencio resonante de la única sala silenciosa de mi escuela. No olvido que el primer libro que llevé a casa gracias al sistema de préstamo fue una biografía de *Madame* de Pompadour, la de los hermanos Goncourt. No la leí, por supuesto, no pude leerla, la abandoné enseguida, creo que no la entendí, no sabía quién era esa Jeanne Antoinette Poisson Le Normand d'Étiolles, no sabía quiénes eran los hermanos Goncourt y, por tanto, el libro me aburrió desde las primeras páginas. Así lo comenté a la bibliotecaria, una mujer que a mí me parecía el colmo del saber porque conocía extraordinariamente bien el laberinto de libros por el que se movía con soltura, y porque había vivido en Nueva York algunos años de su adolescencia. La bibliotecaria sonrió con benevolencia ante la frustración con la que devolvía el libro. Seguramente pensó que algún incipiente esnobismo me había guiado hasta ese ejemplar madrileño de 1896. Lo guardó en su lugar, y regresó con *Los misterios de la jungla negra*, de Emilio Salgari, que fue mi primer éxito como lector. Por ese entonces leí mucho a Salgari, a Enid Blyton, a Edmundo de Amicis y sobre todo a Julio Verne, a quien conocí a partir de *Los quinientos millones de la begún*.

2

El primer libro propiamente mío fue un regalo de mi madre cuando yo tenía seis o siete años. Se trataba de una versión abreviada y "expurgada", para niños, de *Las mil y una noches*. Casi todas las noches, se acostaba a mi lado y me leía algunas páginas. Mi imaginación se vio muy estimulada con las alfombras y los caballos voladores, con las lámparas maravillosas que al ser frotadas hacían aparecer seres fabulosos, o los viajes de Simbad el Marino. Sin embargo, los primeros libros que recuerdo haber comprado yo mismo, sin saber exactamente qué compraba, guiado acaso por una oscura clarividencia, fueron *Papá Goriot*, de Honoré de Balzac, y una pequeña antología poética de César Vallejo, ambos publicados por la Editora Nacional de Cuba, que entonces dirigía Alejo Carpentier. Fue hacia 1967. Habían pasado dos años de mi malogrado intento con los hermanos Goncourt. Andaba yo por los trece años. Más o menos a esa edad me permitieron viajar solo hasta La Habana. Nosotros vivíamos en La Habana, en las afueras, solo que La Habana verdadera se hallaba en el centro irradiante de la ciudad, allí, donde estaba el Parque Central; el otro parque, el de la Fraternidad; el teatro García Lorca, el Capitolio, y una calle por la que guardo un especial apego, la calle Obispo, que comienza en la Plaza de Armas y termina en la calle Bernaza, próxima al bar Floridita, donde por los años cincuenta podía encontrarse a Ernest Hemingway casi a diario cuando vivía en San Francisco de Paula. Justo allí, en su inicio de Bernaza, se encontraba, se encuentra, un imponente edificio *art déco*, que era la más grande librería de La Habana desde 1935, La Moderna Poesía. Pasé muchas de las tardes de mis paseos habaneros en La Moderna Poesía. No se trataba únicamente de una extraordinaria librería, sino que, para mí, tenía el encanto añadido de una sección de papelería, donde podías comprar papel, lápices, bolígrafos, plumas, tinta, todo eso que es tan accesorio como esencial a la hora de retirarte a un pequeño rincón de la realidad para intentar la "tentativa imposible" de comprender, a través de las palabras, la realidad completa.

3

He contado en otro lugar el impacto que me produjo, a los catorce años, la lectura de *Papá Goriot*. Fue un fin de semana urgente, sin levantarme del sillón, sin poder apartar los ojos del libro. El mundo de la pensión Vauquer, con sus ocho inquilinos (Rastignac, Goriot, Vautrin, la patética señorita Victorine...), que Balzac abrió ante mí, y al que me permitió acceder, pertenece ya a mi propio mundo. Yo *también* me convertí en un habitante más de aquella pensión de mala muerte de la calle Nueva de Santa Genoveva. Yo también fui Balzac. No tengo ninguna duda de que aquel fin de semana tuve mi propia epifanía.

4

A medida que me hacía mayor y mis paseos, como mis intereses vitales, se iban ampliando, descubrí una librería llamada Canelo, ubicada en la calle Reina, entre las calles Lealtad y Campanario. Un lugar poco espacioso, donde los libros se apiñaban gozosamente. Vendían, a muy bajo precio, solo libros usados, como los bouquinistes del Sena. Podías recorrer durante horas las estanterías repletas y encontrar maravillas, como la primera edición de *Pedro Blanco, el negrero* y *La luna nona*, de Lino Novás Calvo; *Papel de fumar* y *El gallo en el espejo*, de Enrique Labrador Ruiz; *Estampas de San Cristóbal*, de Jorge Mañach; *Pequeñas maniobras*, de Virgilio Piñera; *Cuentos negros de Cuba,* de Lydia Cabrera, y hasta una selección de textos, edición francesa, de *Las memorias de ultratumba*, de Chateaubriand. (Estos ejemplos no han sido escogidos al azar. Escribo exactamente sobre libros que, aún sin saber con certeza su valor, pude comprar en la librería Canelo para ir conformando poco a poco mi biblioteca).

5

La biblioteca Enrique José Varona de Marianao, el suburbio habanero donde se desarrolló toda mi vida y se despliegan ahora mis recuerdos, fue durante algún tiempo uno de mis refugios. En sus salas iluminadas y amplias, pasé muchas horas repasando enciclopedias. Allí descubrí, por ejemplo, los grabados de Gustave Doré para *El Quijote* y *La divina comedia*. En otra biblioteca, en la Nacional, encontré el añadido (para mí asombroso) de una sala de música, largas mesas con tocadiscos y audífonos en las que comenzó además mi segunda pasión, la pasión por la música, la tarde en que le pedí a la bibliotecaria que quería escuchar algo. No sabía qué. Le rogué que me aconsejara, y ella me trajo el *Concierto No. 1* para piano y orquesta de Chaikovski. Quizá la bibliotecaria sabía que Chaikovski es una de las puertas de entrada a la gran música para alguien que no la conoce en absoluto.

6

Ya sabía por aquel tiempo, hace más de cincuenta años, que quería ser escritor. Porque ya había sabido antes que quería ser lector. Tengo la certeza de que ser lector, incluso más que ser escritor, es el mejor modo de "completar" la vida. Sí, de completarla, de conferirle a la vida el orden, la estructura, el ritmo y la armonía que ella aparentemente no tiene. Leer, escribir, decía el narrador argentino Adolfo Bioy Casares es agregar un cuarto, varios cuartos, a la casa de la vida. Escribir, leer, es vivir permanentemente en estado de aventura. Tener todas las vidas posibles. Es la posibilidad de ser *Madame* Bovary, Sancho Panza, Huckleberry Finn, Emma Zunz, *Lord* Jim, el Conde de Montecristo... Por pobre que sea nuestra vida en acontecimientos cotidianos, se puede saber qué sintió Ana Karenina antes de saltar a las vías del tren. O qué experiencia tuvo Hans Castorp frente a los diálogos de Naphta y Settembrini en el Instituto Internacional Berghof. La maravillosa posibilidad de ser lo que uno quiera ser sin dejar de ser uno mismo. Otro importante escritor, C. S. Lewis, el autor de *Las crónicas de Narnia*, dejó dicho, en un librito extraordinario titulado *La experiencia de leer*, que "la experiencia literaria cura la herida de la individualidad sin menoscabar sus privilegios". (*Literary experience heals the wound, without undermining the privilege, of individuality*).

7

Y quizá por eso existen las bibliotecas, esos lugares donde no solo se acumula "el saber", sino, lo que es más importante, donde además se acumula la vida, las vidas, las otras vidas, las vidas posibles, las que no tenemos tiempo de vivir si no es en los tomos de los grandes poetas, novelistas, cuentistas, ensayistas... Yo diría que entrar en una biblioteca, pública o privada, es como acceder a un gran espacio del sueño donde se nos concediera la gracia de reanimar a los dormidos. Cada libro, cada vida oculta en cada libro, espera el momento ideal para despertar y comenzar a acompañarnos. Entramos al laberinto de una biblioteca con la aspiración de incorporar vidas a la nuestra. Al final, por cada hora de vida, se nos conceden años de experiencia. No sé si eso signifique que saldremos mejor. Hay numerosos ejemplos de grandes lectores que no son por eso y necesariamente mejores personas. Los nazis, por ejemplo, eran grandes lectores. Se cuenta que, durante la Segunda Guerra Mundial, el ejército disponía de miles de bibliobuses donde se distribuían por el frente más de ocho millones de libros. También se sabe que en el campo de concentración de Buchenwald había una biblioteca —con préstamo para los internos— con tres mil volúmenes. Sí tengo la certeza, sin embargo, de que a mayor lectura o, lo que es lo mismo, a mayor experiencia vital, nos situamos en el camino de la comprensión y de la satisfacción. Quizá no nos haga mejores, pero nos proporciona las armas para serlo. Y, además, la evasión que es, al propio tiempo, fijeza. La huida que devuelve al mismo lugar que ya no es el mismo lugar. Si leer también es gozar, entonces las bibliotecas son lugares para la sensualidad y el hedonismo. Un buen conjuro contra la muerte.

La primera biblioteca particular en la que tuve ocasión de entrar fue la de Máxima Drake. Era doctora en pedagogía y amiga de mi tía. Su esposo tenía fama de ser un gran abogado. Vivían a unas cuadras de mi casa, en el lado más exclusivo del reparto Buen Retiro. Ya en sí misma la casa despertaba las fantasías de aquel niño que era yo. Un castillito gótico en la calle 102, que antes de tener número se llamaba calle Medrano. Un buen jardín y un castillito gótico en Marianao, La Habana, habla de cierto delirio. Me encantaba cuando mi tía me anunciaba: "Vamos a casa de Máxima". Empleo el verbo "encantar" en la primera acepción del diccionario de la RAE: "Someter a poderes mágicos". La casa oscura, con muebles de madera de castaño. Máxima Drake nos recibía con el aire distante y un tanto apagado que yo suponía en las personas cultas. La frase que más sobresaltaba, la decía a continuación, después de los saludos y besos de rigor: "Vamos a la biblioteca". *Vamos a la biblioteca*. Primera vez que oía un enunciado como ese asociado a una casa particular. Yo vivía en una casita muy pequeña en un pasillo en la parte baja de la calle Medrano, hacia el cuartel de Columbia. No nos alcanzaba el espacio. La sala-comedor se convertía, por las noches, en mi cuarto. Cómo no iba a parecerme casi milagrosa la frase *Vamos a la biblioteca*. Como quien dice: "Vamos a asomarnos al mundo". Palabras sorprendentes que implicaban un espacio imposible. Para llegar a la biblioteca había que subir una escalera angosta, oscura como todo lo demás. Solo faltaba que la señora de la casa alumbrara el camino como en un grabado de Doré. Al final de un pequeño pasillo estaba la biblioteca. Un espacio semicircular (no perder de vista que se habla aquí de un "castillito medieval") atestado de libros, con algunas butacas de cuero y mesas de café. El olor. Imposible olvidar el olor a polvo y a libro, al polvo sobre los libros —que no es cualquier olor—. En las estanterías se mezclaba el derecho romano con todo tipo de literatura. (Esta oración que acabo de escribir no es exactamente cierta. Había libros bien encuadernados que yo supongo de derecho romano; había libros con encuadernaciones menos solemnes que yo supongo "todo tipo de literatura". Es una conclusión a la que llego ahora, *après la lettre*, después de tantos años). Por supuesto, no me sorprende recordarlo con tanta nitidez. Tampoco tener tan presente las tardes, fuera brillantes, el sofoco de las tardes calmas del barrio. Nos sentábamos en medio del silencio de la tarde de Buen Retiro. Las mujeres hablaban. Yo no las escuchaba. *Estaba en la biblioteca.*

9

Años después, igual que muchos adolescentes de mi época que querían ser escritores, caí bajo el influjo de Ernest Hemingway. El aventurero de Illinois ejercía en aquellos años una fuerte autoridad sobre los jóvenes lectores que pretendían ser escritores. Quizá lo que nos fascinaba tenía que ver con su personaje más que con su literatura propiamente dicha. El personaje Hemingway tenía al menos tanta presencia como Francis Macomber o Robert Jordan. Sin embargo, había algo que, sin darme cuenta exacta de en qué consistía, me producía un inmenso gozo. Algo que aún me ocurre. Sus excelentes cuentos poseían (poseen) una condición que en aquellos años no encontraba en ningún otro escritor: su extraordinario hedonismo. O mejor: su extraordinaria búsqueda del hedonismo. Junto con la fatalidad a la que se enfrentan sus personajes, aun en las circunstancias más adversas, hay inevitablemente en las páginas de Hemingway un lado dichoso en el que se imponen el sabor de las bebidas, de los panes, de las carnes; el olor del sazón y del pescado ahumado; el sonido del mar y de los bosques; el tacto suave o áspero... Hasta cuando esperan la muerte, los personajes de Hemingway disfrutan de la vida. Por eso no me sorprendí la primera vez que fui a Finca Vigía, la casa que compró el escritor en 1940, en un pueblecito llamado San Francisco de Paula. Desde el primer momento la casa (y la quinta que la rodeaba) me pareció una de las más hermosas de La Habana, no solo por la casa en sí, luminosa y bien pensada, sino por la situación de aquella colina desde la que se tenía una extraordinaria vista del *skyline* habanero. Insisto: un hombre que disfrutaba la vida y que poseía buen gusto para hacerlo. Y en la casa enjalbegada, rodeada de árboles, junto con los trofeos de caza, obras de arte, muebles exóticos, rifles y telescopios, se hallaban los libros. No estaban en la "biblioteca" como en casa de Máxima Drake: se hallaban por toda la casa; incluso en el váter. Libros y revistas de cualquier tema, desde Joyce hasta la *Popular Mechanics Magazine* y *The Fisherman*. Como el hedonista que era, a Hemingway le interesaba todo. Incluso mantener hasta después de muerto el personaje del aventurero. Aunque no puedo perder de vista que cada año, cuando llegaban las vacaciones y me iba hasta Finca Vigía, no me asomaba a la vida de una casa, sino al extrañamiento de un museo, debo reconocer que cuanto allí se contenía explicaba al menos un lado importante de un triunfador, de un fracasado, de un frágil violento llamado Ernest Hemingway.

10

Tampoco Lezama Lima tenía el espacio de una biblioteca. Toda su casa lo era. La casa de Trocadero 162, ceñida, oscura, húmeda, con su estilo de ferrocarril, estaba atestada de libros. Vine a conocerla, cuando ya el escritor había muerto y tuve el valor de acercarme a María Luisa Bautista, la viuda, una mujer severa, de religión protestante, extraordinariamente bondadosa. Me permitió escudriñar el orden desordenado de la biblioteca. Cualquier madera servía de estantería y los libros se apilaban hasta en tres hileras, una detrás de otra —el caos en busca del sobresalto—. Lo insaciable del asombro. Allí, por supuesto, nada de mecánica popular ni de libros sobre la pesca en aguas profundas, sobre la caza o sobre el toreo. Allí, narrativa, filosofía, ensayos, hermetismo, poesía. Un *totum revolutum* que daba fe de un modo exasperado y pantagruélico de entender la cultura, es decir, la vida. La literatura es otro modo de incorporar materia a la materia. De Lezama, como él mismo recalca de Confucio, se puede afirmar que "toda su vida transcurre en la búsqueda de ese inasible, para asirlo; de ese inapresable, para apresarlo". Vivió siempre rodeado de libros que cerraban sus bronquios. En la casa humilde de la calle Trocadero, cada detalle estaba dispuesto para vivir en lo apasionado de la biblioteca. El mundo, todo el mundo allí, como en un laberinto.

11

Un modo de entender la vida y la cultura: al contrario que Lezama Lima, Virgilio Piñera casi no tenía libros. Es fama que siempre repetía, con tono de burlona jactancia, que solo poseía cien libros. Cierto, además, que en su pequeño apartamento de la esquina que formaban las calles N y 27, había muy pocas cosas de valor. Era casi un pobre de solemnidad que, cuando tenía algunos libros, en algún momento, se veía en la obligación de venderlos. Yo mismo, en la librería Cuba Científica, encontré un ejemplar de los ensayos de Lord Macauley, en cuya primera página encontré su firma, Virgilio Piñera, 1937. Los "cien" libros de la pequeña estantería blanca, a un costado de la puerta que accedía al balcón, eran casi todos en francés. Recuerdo, por ejemplo, *À la recherche du temp perdu*; *Las memorias*, de Saint-Simon; *El opio de los intelectuales*, de Raymond Aron; los *Contes cruels*, de Villiers de L'Isle Adam; las *Memorias* de Casanova; *El mito de Sísifo, El hombre rebelde* y *El revés y el derecho*, de Albert Camus; varios tomos de las memorias de los hermanos Goncourt... Quizá ni siquiera llegaran a los cien libros. El contraste entre la biblioteca (la biblioteca como dragón) de Lezama Lima y la centena de libros de Virgilio Piñera puede provocar todo un estudio de sus literaturas y, por lo mismo, de sus vidas.

12

Pude ver otra biblioteca, aunque fuera de su espacio. La biblioteca sin biblioteca. Nunca estuve en casa de Enrique Labrador Ruiz: sí vi su biblioteca, o al menos parte de ella. Cuando estudiaba en la Escuela de Letras de la Universidad de La Habana, dedicábamos cuatro horas al trabajo en una fábrica según una iniciativa del comandante Guevara, quien suponía que, de ese modo, los estudiantes universitarios adquirirían conciencia proletaria de clase.

Coleccionar parece ser una hermosa metáfora del tesoro escondido. Es acaso el modo más decoroso de hacernos con el botín que se esconde en la Isla del Tesoro. La imagen del coleccionista existe desde que el hombre tuvo conciencia de que vivía acompañado por otros hombres, de que era un ser social. La posesión de objetos ha obsesionado al hombre desde que comenzó a preocuparse por la realidad. Se dice que la primera colección de que se tiene noticia es del siglo VI a. de C., la que intentó crear un rey asirio llamado Asurbanipal, quien dio la orden de reunir todas las tablillas escritas en su imperio. Ya en el siglo XVI europeo el coleccionismo alcanza todo su apogeo. Existe una extensa bibliografía que intenta explicar esa pulsión del hombre por acumular objetos. Pasando por alto la necesidad de posesión, la pulsión por llenar el vacío de la vida, el lado vehemente e insatisfecho del coleccionista, todo parece indicar que el impulso del coleccionista se dirige hacia la búsqueda de la creación de una nueva realidad. Elegir fragmentos del mundo fragmentado para fundar otra imagen. Como si también esa observación y búsqueda del coleccionista estuviera permeada por la necesidad de permanencia, por la aspiración de no morir. Hay algo hermoso y desesperado en aquel que, de pronto, se detiene, elige un objeto, y necesita completar una suma de objetos semejantes. La avidez humana, según Aristóteles, no tiene límites. Así, se han coleccionado piezas de porcelana, muñecas, abanicos, trajes, monedas, piedras, sellos de correo, bastones, pegatinas... Cualquier cosa que parezca detener lo efímero de nuestro paso por el mundo. O como dice mucho mejor Walter Benjamin en un hermoso libro titulado *Desembalo mi biblioteca*:

> Renovar el mundo: ese es el instinto más profundo que subyace el deseo que experimenta el coleccionista de adquirir

objetos nuevos, y esa es la razón por la que el coleccionista de libros antiguos se encuentra más cerca del origen de cualquier acto de coleccionar que el aficionado cuyo interés se centra en las reediciones de libros antiguos para bibliófilos·

14

Las bibliotecas existen desde los tiempos remotos de Mesopotamia, pasando por los monasterios medievales, aquellos estudiosos de los saberes antiguos que "pasaron el invierno de los siglos oscuros a la espera de mejores tiempos" (la expresión es de Casiodoro, el fundador de Vivarium). Aun desde aquellos siglos en que el libro propiamente dicho no existía; aun desde antes de que en Maguncia, en el siglo xv, un alemán llamado Johannes Gutenberg inventara la imprenta y publicara el primer libro, los ciento ochenta ejemplares de la *Biblia*, el hombre siempre ha buscado el modo de evadir la muerte. Por eso, entre otras cosas, colecciona. Por eso, entre otras cosas, almacena libros.

15

El coleccionista de libros no es acaso un coleccionista más. Quien crea una biblioteca se asemeja mucho al que escribe: desea, como decía Benjamin, "renovar el mundo", y ese "renovar el mundo" comienza por renovar el mundo propio, multiplicarlo, como quien coloca espejos para que la realidad se dispare y reproduzca en miles de luces, escalas y matices. Ambición semejante la del escritor y el coleccionista de libros: encontrar una forma, orden en el caos, una especie de sentido (¿destino?) en lo disperso. Acto de soberbia vital, una biblioteca también *quiere decir algo*. El hombre que arma pacientemente su biblioteca personal a lo largo de muchos años y transformaciones, de circunstancias diversas (casi siempre hostiles), en su selección está buscando, como el novelista, una estructura. Se puede pensar que insisto excesivamente en esta idea de la relación del libro con la vida, de la biblioteca con la multiplicidad de la vida y el deambular por todos los atajos posibles. Semejante insistencia, supongo, debe de verse como la impotencia de quien no encuentra el mejor modo de trasmitir correctamente el secreto que encierra la relación del coleccionista con sus libros. ¿Y si una biblioteca es la suma de vidas posibles que necesita cada hombre para dejar de ser ese ser desolado a la intemperie, bajo la lluvia, cubriéndose con un paraguas? ¿Y si una biblioteca es, además, el mejor modo de sentirse protegido en las batallas del mundo, un espacio defensivo, una trinchera, para emplear lenguaje bélico? "Toda pasión —dejó escrito Walter Benjamin— confina con el caos, y la pasión del coleccionista confina con el caos de los recuerdos".

Como un secreto viejísimo
(María Zambrano, Virgilio Piñera
y los límites del delirio)

Podía haber cerrado la puerta, sabiendo,
como se sabe, que yo ni la he de cerrar,
ni la he de abrir; esa puerta de mi condena seguirá así,
como la han dejado.

María Zambrano,
La tumba de Antígona

He ahí mi puerta, la puerta de no partir.

Virgilio Piñera,
Electra Garrigó

1

El sábado 23 de octubre de 1948, en la sala de la escuela Valdés Rodríguez en El Vedado, La Habana, tuvo lugar el estreno de la pieza teatral de Virgilio Piñera, *Electra Garrigó*. La obra había sido escrita siete años antes, lo cual significaba un verdadero récord entre escritura y puesta en escena para un país donde las cosas de la cultura marchaban a ritmo de retreta municipal. A su modo, aquel estreno significó un éxito rotundo. Es decir, un fracaso que, en rigor, expresaba un éxito. El crítico Rine Leal llegó a calificar aquel estreno con frase que hizo época, como "nuestra modesta batalla de *Hernani*". Casi como en el estreno de la obra de Víctor Hugo, un siglo antes en la Comédie-Française, la obra de Piñera despertó grandes pasiones, a favor y en contra, y algo aún más importante: marcó un antes y un después en el teatro cubano. En carta a José Rodríguez Feo y con cierta malevolencia inevitable, José Lezama Lima comenta: "La crítica, idiota y burguesa, le ha sido tremendamente hostil, cosa que a él le habrá agradado y hecho soñar en las protestas, chiflidos y zanahorias lanzadas a los románticos, a los existencialistas y a todos los que desean un pequeño y sabroso escandalito". El carácter fundacional, la extraordinaria dimensión dramática de *Electra Garrigó* para el teatro cubano, es ahora fácil de advertir. Sin embargo, salvo sutiles excepciones, y, acaso como era de esperar, los críticos de la época no tuvieron la mirada oportuna para descubrir qué significaba la propuesta de Piñera, cuánto revelaba un texto como aquel a la hora de desbrozar caminos dramáticos. Y así fue cómo, luego de dos noches de función, las críticas no se hicieron esperar. Un estomatólogo, periodista y diplomático asturiano refugiado en Cuba, dramaturgo sin éxito él mismo, llamado Luis Amado-Blanco, fue el más agresivo. En un ataque aparecido en el periódico *Información*, el lunes 25 de octubre, escribió:

> En el hacer teatral, *Electra Garrigó* es una patente muestra de hasta dónde los poetas concéntricos, los poetas herméticos, están incapacitados para decir un mensaje de manera absoluta [sic]. Su trabajo, su premio, es darnos ese ligero soplo que a veces los conmueve; su palabra llena de recóndita intención, pero coja de pensamiento; su pensamiento labrado en profundidad, pero desarticulado de otros pensamientos consecuentes. En esto radica su gloria, y nada más ni nada menos que en esto. Y esto, todo esto, absolutamente todo, es antiteatral [sic] hasta el máximo, incapaz de saltar las candilejas y de abrazar, temblante [sic], al público atento. Querer substituir la flecha, el disparo certero de la flecha, por desplantes de arco o por movimientos inusitados, es acudir al juego y al rejuego de lo novedoso, y eso estaba bien allá por los heroicos años del novecientos veinte, y no por este del cuarenta y ocho, abrumado de negras certezas.

Cierto, hubo críticas menos desafortunadas. En un texto aparecido en *Noticias de Hoy*, la poeta y profesora Mirta Aguirre alababa la pieza, aunque no dejaba de destacar los versos de la

Guantanamera (en este caso cantada por la repentista Radeúnda Lima), sustituta del Coro, que para Aguirre eran "verdaderos ripios". No se percató, pocos se percataron (quizá no se percatan aún), de la intención de Piñera, de su voluntad de banalizar, de mal escribir las décimas, como una prueba más de algo que se proponía en la obra: iluminar nuestro lado insustancial, la improvisada manera de aproximarnos a la cultura, un país donde el chillido de una gallina anuncia el Ángelus: "País mío, tan joven, no sabes definir.[...] ¡Pueblo mío, tan joven, no sabes ordenar! / ¡Pueblo mío, divinamente retórico, no sabes relatar! / Como la luz o la infancia aún no tienes un rostro...". Es justo tener el cuidado de saber que *Electra Garrigó* y *La isla en peso* se escribieron muy próximas en el tiempo, en la misma circunstancia, con idéntica obsesión, en medio del insomnio que provoca saber que, en una isla, *el agua rodea como un cáncer*. Hubo, por supuesto, otras críticas más o menos favorables. No obstante, el texto transcendental, perdurable, de cuantos provocó el estreno de *Electra Garrigó* fue un ensayo aparecido en la revista *Prometeo*, ese mismo año de 1948. Lo firmaba una mujer que había asistido al estreno, una malagueña exiliada que había hecho de La Habana, Cuba, y de San Juan, Puerto Rico, las catacumbas de su centro espiritual. Con su hermoso nombre de poeta y de filósofa, María Zambrano se hizo cada vez más imprescindible.

2

Tal vez no cueste mucho, en estos tiempos que vivimos, imaginar, entender, revivir, la década de los años treinta y cuarenta del siglo xx. Por razones diversas, se diría que continuáramos en la devastación. "Nosotras, las civilizaciones, sabemos ahora que somos mortales", escribió Paul Valéry en 1919. Un siglo después, otros caminos (que son el mismo) nos han llevado a una circunstancia diversa que debe de ser semejante. En cualquier caso, los brillos oscuros de aquellos años llegan hasta nosotros. Sentimos sus consecuencias. Después de un interminable siglo XIX, que acaso comenzó en 1789, Europa se sumió en el caos con el pistoletazo de Gavrilo Princip en Sarajevo. Una guerra que disolvió imperios, desestabilizó el continente, trajo más de diez millones de soldados muertos, el mismo número de civiles, veinte millones de muertos por hambre y un número incalculable de hombres y mujeres desplazados. Guerra civil en Rusia, una revolución rusa con la creación de un estado totalitario, la Unión Soviética, que provocó hambrunas durante Lenin y durante Stalin (el famoso Holodomor), que mató de hambre a más de un millón de personas. Guerra civil en España; enfrentamiento ideológico llevado al extremo y que marca buena parte de la historia reciente de España (hasta hoy); número elevadísimo de muertes provocadas por uno y otro bando; número elevadísimo de esos muertos vivientes que fueron (son) los exiliados. Luego, invasión alemana a Polonia, inicio de la Segunda Guerra Mundial, que hizo saber de qué escandalosas atrocidades era capaz el mismo ser humano que se conmovía con Dostoievski, disfrutaba con los Ballets Rusos de Diaghilev y se enaltecía con Beethoven. Fue el descubrimiento definitivo de a qué niveles de infamia podían alcanzar las lecturas de un Nietzsche tergiversado y las exaltaciones nacionalistas. El horror llevado a límites insospechados —el huevo de la serpiente—. Lejos de Europa, bebiendo de Europa, en un archipiélago de las Antillas, la situación era tal vez menos dramática aunque igualmente descorazonadora. Luego de una independencia de España (lograda con dificultad y con ayuda norteamericana), en Cuba ocurre lo que aproximadamente sobrevino en el resto de la América hispana: corrupción administrativa, guerras raciales, caudillismo... Un fracaso tras otro que ha conducido a la situación cubana actual. En semejante marco histórico, parecen explicarse las dos visiones artísticas, cercanas en la pregunta, disímiles en la respuesta, de María Zambrano y Virgilio Piñera. Dos repuestas para una misma angustia. La una, aferrada a la afirmación de Dios, "la sed de Dios", el alma, la piedad; el otro, irreverente, descreído, arriesgado y obstinado en el *no*, entendiendo que la vida, sucesión de puros hechos, no condena ni salva, porque no hay erinias, porque los dioses son no-dioses y la única puerta es la forzosa puerta de no-partir.

3

María Zambrano había llegado a La Habana por primera vez en 1936. Virgilio Piñera lo hizo un año después. Ella tenía treinta y dos años. Él, veinticinco. Ella llegaba de la crispada España republicana, de paso, camino a Chile, donde su esposo, Alfonso Rodríguez Aldave, había sido nombrado, por la Segunda República, secretario de la embajada en Santiago. Como una especie de Eugenio de Rastignac, Piñera huía de la provincia, de la Zambrana, aquel barrio de la ciudad de Camagüey donde transcurrió su adolescencia, y se preparaba para cursar estudios de Filosofía y Letras en la Universidad de La Habana. Ella se dejó seducir bien pronto por las islas, Cuba y Puerto Rico, las Catacumbas, como las llamó, ese espacio de salvación, de ocultamiento y salvación, en medio del desastre europeo. Él en cambio sentía la desesperanza de quien salía del término municipal para llegar a la provincia. Zambrano entendía la existencia como la afirmación de un diálogo; el diálogo, por medio de la piedad, entre Dios y el hombre. Piñera, por el contrario, partía de la negación: no hay erinias, no hay premio, no hay castigo, la vida no condena ni salva, no hay diálogo, o en todo caso un ruidoso, "misterioso balbuceo: ba, ba, ba, ba...". Zambrano cree en la trascendencia y afirma paradójicamente: "El hombre es el ser que padece su propia trascendencia". Piñera tiene la idea de los hechos, los puros hechos, y niega cualquier trascendencia: "Nadie piensa en implorar, en dar gracias, en agradecer, / en testimoniar. / La santidad se desinfla en una carcajada". Para Zambrano, la creación es un acto de fe: "Puro acto de fe el escribir, porque el secreto revelado no deja de serlo para quien lo comunica escribiendo". Piñera, por el contrario, considera que lo importante no es "tener fe", sino "dar fe":

> El mundo se divide en dos grandes mitades, si lo miramos desde el ángulo de la personalidad: el de los que tienen fe y el de los "que dan fe...". Los primeros, por su condición de creyentes, no pueden dar fe de esta fe (la limitación para esto es su fe misma), que sería dar cuenta de la marcha del mundo. Los segundos no podrían tenerla porque precisamente solo sirven para dar fe de esa marcha del mundo. Los primeros, reciben el nombre de seres humanos; los segundos, el de artistas.

No obstante, este modo radical de entender la relación del hombre con el mundo, con Dios y con el resto de los hombres es, en el fondo (y casi en la forma), dos modos diferentes de practicar una misma honestidad, una ética que nace de una raíz análoga. A diferencia del resto de los poetas de *Orígenes*, María Zambrano sí fue capaz de percatarse del extraño vaso comunicante. Apegados a la cotidianidad de la vida habanera, sentados en la caverna platónica de la vida habanera, los poetas católicos de *Orígenes* (salvo excepciones: Lezama Lima sabía bien —¡por supuesto que muy bien!— a quién tenía delante, a quién veía y leía), solo pudieron descubrir el reflejo maligno de Piñera que se reflejaba en las paredes. Zambrano, por el contrario, que venía de cruzadas mucho más trágicas y no se sentía en condiciones de detenerse en cominerías más o menos poéticas, más o menos literarias (o mejor dicho: extraliterarias), fue capaz de "ver más allá". En un texto dedicado a la relación entre Zambrano y Piñera, ha escrito Jorge Luis Arcos: "Tuvo siempre María la sabiduría de la piedad, que es la de saber tratar con lo otro, lo diferente que, a la postre, nos completa". Y tiene razón. Porque ya antes de ser una mujer en viaje, antes de apropiarse de la sabiduría de la errancia, María Zambrano tenía la capacidad de distinguir el todo que queda del todo que pasa, y la certeza de que había otro, un prójimo, que podía tener razón, o que, en última instancia, merecía la comprensión y la escucha. O que acaso mostraba razones atendibles. Ya sabemos que todo el que no duda y rechaza las razones del otro se cree en posesión de la verdad absoluta. Lo cierto es que María Zambrano era una mujer de una inteligencia tan sutil que no podía permitirse la atrocidad de la intransigencia; y dio prueba de una profunda agudeza y de una gran capacidad de entender que lo ajeno no era exactamente lo ajeno. Supuso en Cuba su patria prenatal. Fue una revelación, algo a lo que da forma en aquel famoso y hermoso texto aparecido en el número veinte, 1948, de la revista *Orígenes*, "La Cuba secreta", donde declaró un origen anterior al origen, a partir de un libro que a ella le pareció un despertar: una antología de poetas que le reveló a Cuba, la isla, como "sustancia visible ya". El libro *Diez poetas cubanos (1937-1948)* fue una compilación de Cintio Vitier para ediciones Orígenes, y a Zambrano le produjo "un raro vislumbre", el de "una tierra dormida que despierta a la conciencia". Analizó allí a los poetas antologados, y los párrafos que dedicó a Piñera son altamente reveladores. Es evidente, ya Piñera había iniciado su abandono de la tutela de Lezama Lima. Piñera se había convertido ya en la "oveja negra" de *Orígenes*, en "la oscura cabeza negadora". Piñera se había desligado de la aceptación origenista y había tomado el camino de la negación. Era un *hombre rebelde, un hombre que dice que no*. Piñera, el negador, se convirtió, como es fácil deducir, en un hombre que afirmó desde otro lugar. El "no" entraña otra afirmación. A partir de la publicación de *Las furias* en 1941 se descubría meridianamente claro que Piñera traía en mente "la patada de elefante". Así lo hacía explícito en su "Terribilia Meditans", los editoriales con los que abre los dos únicos números de su revista *Poeta* (1942): "Dejémonos ya de frases, de lemas, de exlibris, de prólogos, de manifiestos... Destruyámosles porque están hechos de lo hecho, de lo acabado, repujado o cincelado; de lo que se encaja u obliga. Gran necesidad de la patada de elefante a ese cristal hecho para el anhélito de los ángeles. Después de la patada, la reconstrucción del cristal, gránulo a gránulo, proclamará que solo es posible la cordura por la demencia o la suma por la división". En disconformidad con el resto de poetas de *Orígenes*, enfrentándose a intelectuales como Jorge Mañach (*et al.*), María Zambrano se situó en el camino de la comprensión. No importa si desde el lado opuesto —si es que existe un tal lado opuesto en un espacio como el de la sensibilidad de esta mujer—. Bien mirado, a nuestros ojos de hoy, el fragmento que Zambrano le dedica a Virgilio Piñera en "La Cuba secreta" es quizá el más sucintamente elogioso. No se la ve en esos párrafos, como en el caso de los otros poetas, apoyándose en la poesía para entender la poesía. Piñera la hace olvidarse de Orfeo, de los "órdenes angélicos", del "acudir de alas", de "las oscuras cavernas del sentido", de "los estados de gracia". Como ella descubre:

> No es música ni canto la poesía de Virgilio Piñera. Y no por otro motivo que por decidida voluntad. Todo poeta —todo el que intente crear— puede practicar el ascesis indispensable por dos modos, o bien en su intimidad personal o en su poesía. Virgilio Piñera es de los últimos [...] Ha querido que el poeta esté por su ausencia, que es la más persistente manera de estar. Y así tiene su poesía mucho de confesión al revés, en que retrayéndose el poeta presenta a las cosas sueltas, diríamos, declinando su responsabilidad. Poesía de alguien que es cuestión para sí mismo, sometido a crítica, ante sí, en la raíz de su existencia.

Y de inmediato, cree Zambrano descubrir la mirada "novelesca" del Piñera poeta. Novelesca, la llama, en la medida en que hace desaparecer el sujeto. Como era de esperar, no piensa tanto en Flaubert como en Faulkner. La figura de Faulkner aparece por una razón que sospecho remite a lo que, poco a poco, Zambrano ha podido vislumbrar en relación con la novela y el hombre contemporáneo: la negación del hombre contemporáneo y su renuncia a la conciliación de lo sagrado. Al "hacer desaparecer el sujeto", el Piñera poeta se acerca al novelista. Gracias a la desaparición del sujeto (algo que aproximadamente es posible identificar con la mirada que sale del yo y se ocupa de abrir la ventana hacia el "afuera", lo que está "más allá", con sus "hábitos y sus maneras") puede el novelista entrar en el alma de los sucesos y las cosas. El detalle interesante es que, de inmediato, agrega que en Cervantes y Flaubert esa indiferencia es el "último y más sutil grado del amor", mientras que en Faulkner es simplemente indiferencia. Esa falta de amor ¿significa para Zambrano la ausencia de Dios?

> La poesía de Piñera por su actitud roza la novela de un Faulkner, de Kafka, en las que el mundo dejado a su albedrío, se convierte en máquina. Mas rompiendo con el musgo la indiferencia de la piedra, brota en la poesía de Virgilio Piñera una realidad de la vida diaria, y entonces, cuando parece más novela, es también más poesía, como en el logrado —perfecto— poema "Vida de Flora".

La relación de Piñera con Kafka es apreciable. Mucho más notable resulta que Zambrano subraye la analogía de la poesía de Piñera con la narrativa de Faulkner. ¿Semejanza en lo grotesco? ¿Será que, al fin y al cabo, Cuba, la cultura cubana, se encuentra, geográfica y espiritualmente, tan próxima al Bible Belt? ¿Querrá Zambrano destacar que la "indiferencia hacia el sujeto", como decide ella llamar a ese rasgo novelístico que implica la observación minuciosa de la "pequeñez" de las cosas, es, al fin y al cabo, ausencia de amor, de Amor? Es extraño, me resulta extraño, que no se percatara de cuánto "amor" se esconde en la "indiferencia" de Faulkner. Recuerdo ahora el párrafo de un hombre lúcido como Lionel Trilling:

> [...] nadie quiere a las personas por su esencia, por sus almas, sino porque tienen un cuerpo determinado, o ingenio, o idioma: ciertas relaciones específicas con las cosas y con las demás personas. Y también las queremos por una

continuidad de existencia que descontamos en ellas: las queremos porque están en nuestro mundo.

4

Como casi siempre sucede, el ensayo aparecido en la revista *Prometeo*, a propósito del estreno de *Electra Garrigó*, revela mucho sobre Virgilio Piñera: bastante más sobre María Zambrano. Ella, desde bien pronto, tenía la obsesión por Antígona y su delirio. El texto se abre con una afirmación indiscutible: "La tragedia griega tiene la virtud de ser algo así como el eje cristalino, en torno al cual los occidentales seguimos haciendo girar nuestros conflictos". Sin embargo, no parece absurdo reconocer que la carga de la presencia de Dios se haya sustituido por otras cargas igualmente intolerables. Y aun sin Dios, o con un Dios cambiante, incierto, aun con diferente temor y temblor, en medio de la orfandad y el desamparo, el hombre de Occidente vuelve una y otra vez a la tragedia griega, acaso como un modo de tantear una y otra vez los nuevos conflictos y sus posibles explicaciones. Nuevos conflictos que, no obstante, parecen ser los conflictos eternos. Zambrano se pregunta por qué esa recurrencia porfiada. Y cuando se responde es para sospechar que tal vez por la propia condición de "pasividad" de los propios conflictos, para resolver que "[a] la tragedia de los tiempos actuales parece faltarle el sujeto, el 'quien' o el 'alguien' que la vive y padece, tragedia desasida, abstracta y que por ello no conduce a la libertad". Es así como inicia su análisis sobre *Electra Garrigó*: entendiendo que esa Electra no es en rigor un personaje sino un vacío. Electra Garrigó es *ese helado cristal de la persona*, respondería Piñera. O como esta Electra —la que conoce la cantidad exacta de los nombres, la que procede fríamente con hechos, la que no dejará huella ni el rastro más poético, porque no compone elegías ni ve pasar a los amantes— grita de manera rotunda, *teatral*: "¡Yo soy la individidad, abridme paso!". Y Zambrano responde:

> En la tragedia clásica el crimen venía a ser la última explicación, el desentrañarse del conflicto entrañable que solo por la sangre hallaba su salida. El poeta trágico recogía el crimen y lo transformaba en tragedia extrayéndole su sentido. En esta *Electra*, encontramos el crimen sin más, convertido, para apurar su falta de sentido, en un "hecho, un puro hecho".

Y de inmediato, y porque no puede evitarlo, apostrofa al propio Piñera:

> Pero... ¿y si los electrones no fueran ciegos, poeta? ¿Si en su vibración se generara ya eso que llamamos conciencia? ¿Si en ellos estuviese esa aspiración a la luz o la sede de la luz misma? ¿Por qué no sentir en los electrones una aspiración a la vida íntima y personal, a la vida que pasando por su oscura cárcel humana llega a hacerse luminosa, en vez de ver en la persona una conciencia que se deshace en pura y ciega vibración?

En este punto Zambrano y Piñera se sitúan en las antípodas. A diferencia de los críticos que respondieron al estreno de *Electra Garrigó* con descalificaciones ("no plantea un tema cubano", obra "vulgar sobre una niña maleducada", obra "sin pensamiento directriz", obra "coja de pensamiento", etcétera), María Zambrano la comprende extraordinariamente bien, y va al centro del problema, a la "pura negatividad", de "eclipse de Dios", y le recuerda a Piñera lo que cerca de veinte años después repetirá George Steiner en *La muerte de la tragedia*: "La negatividad, el eclipse de Dios cubre con su sombra el aire todo de esta tragedia actual, pero bastaría al poeta caer en la cuenta de que ni siquiera la tragedia existe, cuando no existe Dios".

5

La tumba de Antígona apareció de manera definitiva en la editorial Siglo XXI, México, en 1967. Su gran estreno se produjo veinticinco años después, en el Teatro Romano de Mérida, bajo la dirección de Alfredo Castellón y con la actriz Victoria Vera en el papel principal. Aunque Zambrano había muerto el año anterior, conocía el proyecto de Castellón y confiaba en la versión del zaragozano. Antes, en 1983, se habían representado algunos fragmentos en el Convento de los Padres Dominicos de Almagro. Un año después, tiene lugar otra puesta en escena por el Teatro-Estudio de Málaga, bajo la dirección de Juan Hurtado. En su excelente edición de *La tumba de Antígona y otros textos sobre el personaje trágico*, Virginia Trueba Mira da nota de estas puestas y habla del testimonio de Miguel Romero Esteo, publicado en la revista *El Público*, el 17 de febrero de 1985, a partir de la puesta malagueña de Hurtado que había sido recibida por la crítica especializada con un estruendoso silencio. La obsesión de Zambrano con el personaje de Antígona venía, como ya he dicho, de lejos. Aquel mismo año 1948 del estreno de *Electra Garrigó*, María Zambrano había publicado en la revista *Orígenes* un ensayo breve titulado "Delirio de Antígona". La palabra "delirio" parece designar una experiencia límite, una proximidad al "abismo" (palabra de Rilke, de Lezama Lima, de la propia Zambrano). Como afirma Virginia Trueba Mira: "El delirio deviene, pues, lenguaje nacido del más hondo sentir ante el abismo de la existencia. Grito primordial que al articularse encuentra, no obstante, el sentido, pues lo individual entonces se universaliza". Y la propia Zambrano nos habla de la muchacha, Antígona, que

> no tuvo tiempo de detenerse en sí misma; despertada de su sueño de niña por el horror del crimen paterno, entró en la plenitud de la conciencia. Pero nunca la volvió sobre sí. Por eso el conflicto trágico la encontró virgen, y su virginidad de mujer se adecuaba perfectamente con su conciencia

7

lúcida [...] No; Antígona, la piadosa, nada sabía de sí misma, ni siquiera que podía matarse; esa rápida acción le era extraña y antes de llegar a ella —en el supuesto de que fuera su adecuado final— tenía que entrar en una larga galería de gemidos y ser presa de innumerables delirios; su alma tenía que revelarse y aun rebelarse. Su vida no vivida había de despertar. Ella tuvo que vivir en el delirio lo que no vivió en el tiempo que nos está concedido a los mortales.

Ahí, en ese ensayo aparecido en *Orígenes*, puede rastrearse el germen de la pieza teatral *La tumba de Antígona*. ¿Por qué una filósofa tan cercana a la poesía se decide a escribir teatro? ¿Por qué una poeta tan cercana a la filosofía se decide a escribir teatro? Y pensando en Piñera, ¿por qué un poeta y narrador se decide a escribir teatro? Y sucede que ambos poetas conocen el extraordinario presente del teatro. Todo, pasado, presente y futuro es presente frente a un público que aspira (a veces sin saberlo) a su ascesis. Para Zambrano, "el teatro, caja de resonancia de lo más íntimo de la condición humana, necesita de la amplitud de los cielos y de la tierra tal como el hombre de carne y huesos, de dolor y esperanza, lo necesita". Para Piñera, es un proceso de desenmascaramiento:

> Sé que estoy representando en la vida un papel, y al saberlo, estoy en condiciones de valorar mi acto y si lo valoro le doy un sentido moral, y al dárselo, me estoy salvando y justificando en tanto hombre. Esta religiosidad de ambos cuerpos —en sí misma una unidad existencial— opera una doble función: ese cuerpo-teatro nuestro, al despojarnos de las máscaras encajadas en nuestro cuerpo de sangre y huesos, nos convierte en *Je suis un autre* que decía Rimbaud. Ya no soy más el que avanza enmascarado (*larvatus prodeo*, según el decir de Descartes), sino el que avanza a cara descubierta...

Ambos, pues, coinciden en lo necesario para revelar la verdad de esa criatura que aparece en escena para expresar su palabra, su destino, su delirio. Ambos recurren al mito para entender la propia realidad. Él, su condición de isleño, el fracaso de una historia que entiende como fracaso total. Ella, su vida de exiliada, de un lado a otro, sin casa, en busca de una tumba donde se pueda sepultar a la hermana, al hermano muerto. Ambos parten del desgarro, de la atracción que provoca el cercano abismo. Decía José Lezama Lima, a propósito de un personaje trágico del siglo XIX cubano, el poeta Juan Clemente Zenea, que se hacía preciso recorrer una gran desolación antes de alcanzar algunas claridades. Así, Zambrano y Piñera sitúan las figuras trágicas en otra dimensión histórica. Piñera hace aparecer a Electra en medio de la desesperanza de una familia cubana y en una ciudad donde "los gimnastas y los parlanchines forman la casta superior. Y no cuento —dice Orestes— las armas disimuladas bajo la ropa". Una ciudad que, como responde el Pedagogo, "tan envanecida, de hazañas que nunca se realizaron, de monumentos que jamás se erigieron, de virtudes que nadie practica, el sofisma es el arma por excelencia [...] Se trata de una ciudad en la que todo el mundo quiere ser engañado". Zambrano, por su parte, da testimonio de otro desgarramiento: el exilio. Un desgarramiento que poco a poco se convierte en condición humana. El exilio: único destino posible. Así exclama Polinices en *La tumba de Antígona*: "Vengo a buscarte. Vine a buscarte, Antígona, hermana, para irnos a una tierra nueva, libre de maldición; a una tierra fragante como tú, para empezar la vida de nuevo". Con diferente luz, y con semejante iluminación. La luz enceguecedora de Electra Garrigó: "¡Atrás, fantasmas de los antiguos dioses! ¡Dioses de nada con ojos de nada! Vais a caer en el centro de esa luz, y giraréis eternamente como la parte de un todo que no se compadece nunca de sí mismo". La misma luz implacable que aparece en *La isla en peso*, por la que "todo un pueblo puede morir de la luz como puede morir de la peste". La luz de Antígona es, por el contrario, luz de vida que persigue en la muerte. No desintegra, como en *Electra Garrigó*. La luz de Antígona atosiga y apremia. Dos luces terribles, porque si la una deshace la materialidad de las cosas, la segunda recuerda que la vida está allá afuera y hace aún más evidente el espanto.

Y ese rayo de luz que se desliza como una sierpe —dice Antígona—, esa luz que me busca, será mi tortura mayor. No poder ni aún aquí librarme de ti, oh luz, luz del Sol, del Sol de la Tierra. ¿No hay Sol de los muertos? Has de perseguirme hasta aquí, Sol de la Tierra, he de saber por ti si es de noche, si es de día... [...] Y mientras te vea, luz del Sol, me seguiré viendo y sabré que yo, Antígona, estoy aquí todavía, al estar aquí y al estar todavía sola, sí, sola, en el silencio, en la tiniebla, perseguida aún por ese Sol de los vivos que todavía no me deja. Sola y perseguida por ti, luz de los vivos, la de mis propios ojos que solo a ti y a mí misma estarán viendo.

Ambos, Piñera y Zambrano, lograron sendas piezas innovadoras. La de Piñera abrió camino a la dramaturgia cubana. La de Zambrano se mantuvo y mantiene en esa zona del olvido que es propia de la frivolidad en que vivimos; a pesar de su extraordinaria teatralidad. Una teatralidad que no viene, por supuesto, por el conflicto convencional, sino cuyo drama nace de la propia palabra (estuve a punto de escribir "grito"). La palabra como fuerza dramática. Una palabra en la que también existe un inevitable silencio.

6

La errancia de María Zambrano se corresponde con el exilio interior (la muerte civil) de Virgilio Piñera. Cada uno a su modo, se convirtieron al propio tiempo en víctimas y triunfadores ante la historia. Conocieron el destierro en vida —dos modos diferentes de destierro—, y supieron cómo sobrevivir a la condena. Toda forma de exilio parece ser tan trágica como creadora. Ambos escritores tuvieron, qué duda cabe, la fuerza suficiente para transformar el horror y encontrar la provocación necesaria y la posible respuesta.

Aire, cielo, palma y canela de La Habana

*La literatura se construye sobre las
ruinas de la realidad. Las ciudades de la
literatura han existido pero ya están destruidas.*
RICARDO PIGLIA,
Crítica y ficción

*Y la posibilidad, tantas veces soñada,
de cerrar los ojos y volver a abrirlos
exactamente cien años antes para obtener la
revelación total e imposible.*
CALVERT CASEY,
"Para una comprensión total del siglo xix"

1

No sé si culpa del tedio o de la impaciencia, muchas tardes nos
íbamos a deambular por La Habana que no existía. Un viaje raro,
descorazonador y magnífico. Quizá un poco melancólico y an-
sioso, aunque con melancolía y ansiedad bastante alegres que
nos llenaban de satisfacción. El paseo consistía en descubrir, en
medio de la ruina, de la fatalidad histórica que nos había tocado
vivir, cómo había sido la ciudad, cómo la habían visto y vivido los
habaneros de entonces y los viajeros —ilustres o no—. Éramos
los *flâneurs* de la ciudad perdida. Andábamos por el presente en
busca del pasado. Recorríamos La Habana que desaparecía poco
a poco entre las agresiones y los derrumbes del tiempo y de los
hombres, para intentar la reconstrucción mental de La Habana
de los que llegaron antes. "Deicidio", "parricidio", "magnicidio",
palabras que existen en español. ¿Y cómo llamar a quienes des-
truyen ciudades? Contra los asesinos de las ciudades, el ejercicio

restaurador de la imaginación. La reconstrucción minuciosa de edificios, calles, avenidas, esquinas, hoteles y playas. El espíritu de los lugares, no como se presentaban a nuestros ojos, sino como debieron ser cien años atrás. No es necesario explicar, entre los fracasos, la sorpresa y la felicidad de los descubrimientos. Por supuesto, con la advertencia que nos había dejado "Para una comprensión total del siglo XIX", aquel ensayo de Calvert Casey, en *Memorias de una isla*, que obligaba a completar la visión sobre la ciudad. "Se nos dice —escribe Casey— que en domingos salía de La Habana un tren alegre que llevaba a los ricos disfrazados de marineros a bailar al arenal desierto de Marianao, pero cuando el conde Kostia hace la reseña cursi del paseo al día siguiente, no nos habla de los arrabales fétidos que el tren tuvo que bordear, el traspatio hediondo del Cerro, que resuma palúdicas". Así, intentábamos *reparar* La Habana de Fredrika Bremer, de la Condesa de Merlín, de Julián del Casal, la de José Martí, la de José Lezama Lima y Virgilio Piñera. Y también la otra ciudad de aquellos que no vivían en palacios, sino en casuchas levantadas con maderas de palmas, muy lejos de jardines y grandes avenidas. La gente que "la condesa de Merlín nunca trató aunque fue servida por ella...". O La Habana de Ernest Hemingway, de Tennessee Williams, de Juan Ramón Jiménez y María Zambrano. Y, por supuesto, la de Federico García Lorca y Luis Cernuda. Con todos los personajes que, sobre todo a estos últimos, tuvieron el placer de rodearse.

2

Sabíamos que Federico García Lorca había desembarcado en La Habana el 7 de marzo de 1930. Luis Cernuda, por su parte, lo hizo un 24 de noviembre veintiún años después. Quizá no sea demasiado solemne (dramático), tener presente que habían sido dos décadas decisivas para el siglo XX, que durante esos veinte años el mundo conoció los horrores de la Guerra Civil Española, de la Segunda Guerra Mundial, de la hegemonía del poder soviético en Europa del Este, del comienzo de la Guerra Fría. Aunque asimismo debiéramos estar al tanto del esplendor que también hubo en esos años, luminosos desde muchos puntos de vista: T. S. Eliot, Sigmund Freud, Virginia Woolf, Walter Benjamin, Arnold Schoenberg, Picasso, Ludwig Wittgenstein, Sergei Prokoffiev (quien, dicho sea de paso, había coincidido en La Habana con el poeta granadino)... Lorca había hecho el viaje en barco, desde Nueva York a Miami y desde Miami a La Habana. En aquellos años salían tres barcos diarios desde el puerto de Miami hacia el de La Habana. Lorca llegaba del Nueva York turbulento y siempre fascinante que vio caer la bolsa durante el Crac del 29. Encontró una Cuba que aún se hallaba bajo la influencia de las "vacas flacas", la caída del precio del azúcar (luego de los años de "vacas gordas" de la Primera Guerra Mundial), a la que se sumaba la Gran Depresión y las maniobras caudillistas del presidente Gerardo Machado para alcanzar un segundo mandato, en contra de la Constitución. Es decir, crisis económica y crisis social. Luis Cernuda apareció en La Habana a solo unos meses del golpe de Estado de Fulgencio Batista contra el presidente democráticamente elegido, Carlos Prío Socarrás. Golpe de Estado que tal vez desestabilizaría definitivamente el equilibrio social de Cuba y prepararía para las consecuencias (decisivas) que ya conocemos, en enero de 1959. Entremedios, una revuelta social en 1933 (con la huida de Machado), una pentarquía, una reforma constitucional (la de 1940), tres presidentes electos, una guerra de gánsteres y un golpe de Estado. Además, y porque la historia también muestra su lado amable, fueron los años en los que aparecieron en Cuba las revistas *Verbum*, *Espuela de Plata*, *Nadie Parecía*, *Enemigo Rumor* y *Orígenes*. Fueron los años en los que aparecieron libros definitivos como *Cuentos negros de Cuba*, de Lydia Cabrera; *Sóngoro Cosongo*, de Nicolás Guillén; *Estampas de San Cristóbal*, de Jorge

Mañach; *Elegía sin nombre* y *Nocturno y elegía*, de Emilio Ballagas; *La luna nona y otros cuentos*, de Lino Novás Calvo; *Muerte de Narciso*, de José Lezama Lima; *El reino de este mundo*, de Alejo Carpentier; *El laberinto de sí mismo*, de Enrique Labrador Ruiz; *Las furias* y *La isla en peso*, de Virgilio Piñera; *Contrapunteo cubano del tabaco y el azúcar*, de Fernando Ortiz... No menos intensa había sido la importancia que adquirió la pintura y la escultura durante esos años, la gran exposición de 1925, que abrió las puertas de la gran pintura, con artistas como Víctor Manuel, Amelia Peláez, Carlos Henríquez, Wifredo Lam, René Portocarrero, Fidelio Ponce... O en la música, con Amadeo Roldán, Alejandro García Caturla o Ernesto Lecuona, además de los trovadores santiagueros o los rumberos de La Habana. Fueron los años de la llegada de Ernest Hemingway, Juan Ramón Jiménez, María Zambrano, Gustavo Pittaluga Fattorini... Y aquellos en que se construyó en Marianao el reparto Redención, los solares de El Cerro y del barrio de Cayo Hueso. Habían sido, más que nunca (eso lo sabíamos), los años en los que La Habana se convirtió verdaderamente, y con todas sus contradicciones, fortunas y miserias, en la llave de Nuevo Mundo.

3

De modo que, cuando Lorca desembarcó en La Habana, exactamente por el puerto de La Machina, habían transcurrido veintiocho años de república. Del sueño romántico de París con el que el siglo XIX quiso defenderse de la metrópoli española, se pasó al no menos romántico del *american dream*. (Aunque este cambio de paradigma se veía venir ya en tiempos de las guerras de independencia). De una imagen a otra, de un *ethos* a otro. Y la ciudad que desde mediados del XIX había rebasado sus murallas y crecido hacia el monte de El Cerro, se desplazó aún más hacia el oeste, hacia el monte de El Carmelo, el monte de El Vedado, y descubrió el clima "benigno" de Marianao, que el catalán Salvador Samá (marqués de Marianao) logró conectar con la ciudad gracias al ferrocarril que salía de la terminal de Concha y llegaba más allá del río Almendares. Las "grandes familias" (el dinero como medida de grandeza) abandonaron poco a poco El Cerro y comenzaron a levantar sus palacios en El Vedado. Todo ese gran espacio que se extendía desde el torreón de San Lázaro hasta el río Almendares, un gran bosque muchos años atrás, se convirtió en el gran acierto urbanístico de la ciudad. Palacios, amplias aceras arboladas, jardines, portalones, grandes paseos, bulevares, cafés, restaurantes, teatros... Había "grandeza" y dinero, sobre todo mucho dinero. La Primera Guerra Mundial había permitido que el comercio del azúcar explorara nuevos mercados y precios muy beneficiosos. Y tuvo lugar aquel milagro que se llamó La Danza de los Millones y que instauró un cierto modo de entender la vida y la ciudad como "espacio de placer". Una cierta ligereza de vivir, una defensiva *nonchalance* hacia todo cuanto no fuera fuente de gozo. Después del horror de la guerra, de las guerras, después de tanta hambre y reconcentraciones de Valeriano Weyler, ¿llegaba el tiempo del desquite, de la complacencia, de la frivolidad? Es que, además, en Estados Unidos se implantó en 1920 la Ley Seca. ¿Qué mejor lugar que La Habana, tan próxima, a solo unas horas de Miami y Key West, para encontrar el paraíso de las satisfacciones? En 1928 La Habana registró la llegada de más de un cuarto de millón de turistas, fundamentalmente norteamericanos. La ciudad se llenó de hoteles hermosos: Sevilla Biltmore, Presidente, Saratoga, Lincoln, Central, Isla de Cuba, y el más hermoso y admirable de todos, el Hotel Nacional, fundado justo el año en que Lorca desembarcó en La Habana. La ciudad abandonó el "tercer estilo", el eclecticismo colonial, y vio elevarse el *art déco* de los edificios Bacardí y López Serrano, o el asombroso palacio de Catalina Lasa y Juan Pedro Baró. En un pasaje de sus memorias, *Del barro y las voces*, el pintor Marcelo Pogolotti ha dejado un magnífico testimonio:

La Habana guardaba todavía su aspecto alegre y despreocupado. La acera del Louvre, aunque declinaba, seguía siendo muy concurrida por políticos de jipi y tabaco, ciertas viejas glorias y determinado tipo de jóvenes "bien" de los que se ponían almidonado cuello y camisa color de rosa y aún llevaban alfileres de corbata, todos ellos de traje blanco inmaculado, incluyendo los zapatos cuando no eran de dos colores. Frente al Anón del Prado, repleto de fragantes frutas tropicales y sus multicolores jugos y helados, se estacionaban en sus automóviles abiertos, sin salir de ellos, las familias burguesas para que los camareros acudiesen corriendo a servirles sus refrigerios a la vista de todos.

4

Fueron los años en que comenzó el esplendor de la Playa de Marianao. Visitábamos muchas de aquellas maravillas ahora casi ruinosas. Paseábamos por los Aires Libres de Prado en busca de cuanto había seducido a Federico García Lorca. Ya no había terrazas de café. Tampoco tarimas donde se presentaran las orquestas femeninas, Anacaona y Ensueño. Algo, sin embargo, sobrevivía. Digo "algo" y no sé con certeza cómo explicarlo; quiero acaso decir un *esprit*, un cierto "efecto" que se obstinaba en permanecer, como las viejas pinturas en los muros, o la marca del agua que alguna vez saltó de los delfines (en mármol de Carrara) de la Fuente de la India o de la Noble Habana. Disfrutábamos bajo los árboles del Parque de la Fraternidad que había sido diseñado, en lo que fueron los terrenos del Campo de Marte, por Jean-Claude Nicolas Forestier en saludo de la VI Conferencia Panamericana, que contó con la presencia del presidente norteamericano Calvin Coodlidge. Sabíamos, creíamos saber, que Lorca debió de haberse sentado en uno de aquellos bancos. Porque se había hospedado en dos hoteles cercanos: el hotel La Unión, en la esquina de las calles Cuba y Amargura; y el hotel Detroit, junto a la Plaza del Vapor, entre las calles Galiano, Águila, Reina y Dragones. Sabíamos que le gustaba caminar solo y sin rumbo: "[...] me voy solo por La Habana hablando con la gente y viendo la vida de la ciudad", había confesado en una carta. Deambular por las dieciocho cuadras de la calle Cuba dejaba un regusto de fracaso, de belleza venida a menos. Allí estaba la última iglesia del padre Gaztelu en La Habana, el Espíritu Santo, y el antiguo Monasterio de Santa Clara, y la Iglesia de la Merced, en cuyo hermosísimo claustro teníamos la posibilidad de olvidar el calor insalubre y del derrumbe de la ciudad. En la calle había tristeza y festividad. ¿Cómo explicar la paradoja? Pues no se explica. Se vive y se entiende. No se hacen preguntas inútiles. Sí parecía posible, en cambio, entrever lo que sintió Federico García Lorca. Que no hubiéramos estado en Andalucía, carecía de importancia, podíamos entender qué había querido decir en una de sus conferencias habaneras, la que dedicó a su libro *Poeta en Nueva York*:

"¿Pero qué es esto? ¿Otra vez España? ¿Otra vez la Andalucía mundial? Es el amarillo de Cádiz con un grado más, el rosa de Sevilla tirando a carmín y el verde de Granada con una leve fosforescencia de pez".

Pasábamos por la calle Concordia esquina Lealtad donde vivían los grandes amigos de Lorca: Antonio Quevedo y María Muñoz; ella, alumna de Manuel de Falla, directora de la Escuela Filarmónica Nacional; ambos, fundadores de la revista *Musicalia* y del Conservatorio Bach. Y era el momento ideal de subir hasta la calle Ánimas, entre Prado y Zulueta, donde estuvo el antiguo Teatro Principal de la Comedia, inaugurado en 1921. Ya para entonces, el teatro no existía, lo habían demolido en 1956, nos bastaba sin embargo con pasear por la calle y recordar que allí Federico había dado las cinco conferencias que dictó en La Habana, y que durante la última, "Arquitectura del Cante Jondo", había tenido lugar un suceso de extraordinaria importancia para la ciudad: cayó un aguacero torrencial. Tampoco existía en nuestros años el Teatro Alhambra. En la famosa esquina de Consulado y Virtudes se alzaba el Teatro Musical de La Habana; en tiempos de Lorca, sin embargo, era el teatro de los hombres solos, de las *vedettes* medio desnudas, de las revistas musicales, del actor Regino López, los hermanos Robreño, Federico Villoch, y esos ecos de la comedia del arte que Lorca quería ver en el Negrito, el Gallego y la Mulata. Sí resultaba difícil, por el contrario, descubrir alguna antigua grandeza en la Playa de Marianao, donde, según tantos testimonios, Federico García Lorca fue tan feliz. Sí, resultaba bastante difícil. No tanto a la luz del día, cuando el trasiego hacia los antiguos balnearios (Club Náutico, Casino Español, Habana Yacht Club, La Concha, El Círculo Militar, Hijas de Galicia, el Miramar Yacht Club...) recordaba un poco el colorido y antiguo esplendor; el mayor problema para la imaginaria relectura de la Playa de Marianao llegaba durante la noche, la noche apagada, silenciosa, casi solitaria, donde a duras penas se mantenía el viejo parque de diversiones, Coney Island Park (inaugurado en 1918), y donde ya no existían los antiguos tugurios: La Choricera, El Niche, el

Kiosko de Casanova, el Himalaya, con la música y el trasiego de aquellas madrugadas a las que habían ido a terminar todos los que habían estado de fiesta en los cabarets habaneros. En los años de nuestros paseos tampoco existían ya los símbolos de La Habana, y muy en especial de la Playa de Marianao (tan caros, se dice a Lorca): los puestos de frita, esa especie de hamburguesa cubana con picadillo de ternera, cerdo, chorizo y pimentón. Resultaba difícil, para nosotros en aquellos años, imaginar el aire de fiestero paganismo de aquellos antros donde lo mismo podías encontrar a Erroll Flynn, Pedro Flores o Agustín Lara. En Nueva York, Federico García Lorca descubrió el mundo de los negros de Harlem. Por poner un solo ejemplo, estos apesadumbrados versos de *Poeta en Nueva York*:

> ¡Ay Harlem!, ¡Ay, Harlem!, ¡Ay, Harlem!
> No hay angustia comparable a tus rojos oprimidos,
> a tu sangre estremecida dentro del eclipse oscuro,
> a tu violencia granate, sordomuda en la penumbra,
> a tu gran rey prisionero en un traje de conserje.

En La Habana Lorca pudo completar el mundo de los negros de Harlem. Los grandes reyes negros continuaban vestidos de conserjes, solo que en La Habana no se entregaban a la espiritualidad dolorosa del góspel, sino a la otra espiritualidad acaso menos angustiada del guaguancó, el yambú y la columbia. El subtexto era el mismo, cambiaban los rituales y las maneras de relacionarse con el misterio. La fascinación continuó intacta. La belleza del negro se mostraba acá en todo su esplendor. A propósito, ha dicho Guillermo Cabrera Infante en "Lorca hace llover en La Habana", en su libro *Vidas para leerlas*:

> Lorca ve en La Habana, ¿cómo no habría de verlas?, a las que él llama "mujeres más hermosas del mundo". Luego hace de la cubana local toda una población y dice: "Esta isla tiene más bellezas femeninas de tipo original..." y enseguida la celebración se hace explicación "... debido a las gotas de sangre negra que llevan todos los cubanos". Lorca llega a insistir: "Cuánto más negro, mejor".

Una ciudad como La Habana, capaz de mostrar esa pertinente mescolanza, ponía en su lugar un poema como "La casada infiel" de 1928, dedicado nada más y nada menos que "a Lydia Cabrera y a su negrita". Por contraste, la familia Loynaz en el hermoso y desagregado palacio de la calle Calzada, al borde del mar, muy próximo a la desembocadura del río Almendares, y vecino del otro palacio, residencia del famoso ministro de Obras Públicas del presidente Gerardo Machado, Carlos Miguel de Céspedes, apodado El Dinámico.

6

(Por favor, no olvidar que en La Habana comenzó Lorca a escribir *El público*, esa extraña pieza teatral).

7

A pesar de la proximidad en el tiempo, La Habana de 1951 a que arribó Luis Cernuda, a nosotros, en la década de los setenta, nos parecía tan mítica y distante como aquella de los treinta en donde desembarcó García Lorca. Solo nos separaban veinte años de la presencia de Cernuda entre nosotros. (¡Qué poco tiempo para tanta diferencia!). Al mismo tiempo, veintiún años, solo veintiún años se extendían a su vez entre la visita de Lorca y la de Cernuda. Aquel había sido asesinado en Granada, solo quince años atrás; este hacía trece que había iniciado la errancia atormentada del exilio. Dos hombres tan distintos y tan cercanos. Y sobre todo, víctimas de idéntica tragedia. Cuando el Lorca, de treinta y dos años, llegó a La Habana, le quedaban solo seis de vida. Cuando el Cernuda de cuarenta y dos, llegó a La Habana le quedaban doce. Y La Habana, por su parte, comenzaría en ocho años su trasiego hacia las ruinas.

8

La ciudad de 1951 había crecido notablemente hacia el oeste. Otros grandes repartos disputaban ahora a El Vedado su riqueza: Almendares, Kholy, La Sierra, Miramar. Este último, había crecido a partir de 1911, en que los arquitectos Morales y Pedroso planearon la urbanización de la finca paterna llamada La Miranda. Uno de los hermanos Morales y Pedroso había diseñado un puente de hierro, levadizo, para su tesis en la Columbia University. Semejante proyecto fue el que se construyó sobre el río Almendares para unir con eficacia El Vedado con Miramar. Hacia 1920 se diseñó la Quinta Avenida. A partir de ese instante, abundaron los grandes palacios (algunos verdaderamente espléndidos) de las "grandes" familias que iban en busca de mayor espacio y, sobre todo, de mayor intimidad. Ya en 1926, en su hermoso libro *Estampas de San Cristóbal* (Editorial Minerva), Jorge Mañach deja escrito sobre Miramar:

> Poco a poco se va haciendo el crepúsculo. Una brisita tibia comienza a mecer solemnemente los cipreses, a peinar los

macizos, a barrer por los senderos algunas hojitas vaga-
bundas. De vez en cuando, un automóvil largo y fúlgido
pasa con un blando rumor. Raudamente se va empequeñe-
ciendo hasta perderse en la bruñida lontananza del maca-
dam. Del puente de hierro, que enarca su lomo gris sobre
el remanso meloso del estuario, desemboca lentamente
una pareja blanca y rosada: un hombre y una mujer yan-
quis, que van a sentarse allá atrás, al banco más íntimo, en
el perímetro redondo del jardín. La brisa trae, a poco, ripios
de mimos en inglés: *darling...*, *sweetheart...* El ambiente se
cuaja de paz voluptuosa y dorada [...] Se oye la sirena de
una fábrica. El tranvía pasa, al filo del puente, cargado de
obreros y rezongando, como otro proletario, sobre los rieles.
Pero el paseo, con sus palmas enanas, con sus macizos de
plantas, con sus palacetes elegantes y aislados, suscita una
halagüeña sensación de acomodo, de refinado capitalismo.

9

Y en busca de ese espacio y de esa atmósfera, recorríamos también la Quinta Avenida. Nos íbamos a las playas, a los antiguos
balnearios, ya sin la exclusividad, abiertos, comunicados entre
sí como si fuera cierto el sueño de que se hubiera instaurado un
régimen de igualdad. Aún perduraba en nosotros, en aquellos
años, la fuerte conciencia de la naturaleza en que vivíamos. No
hubiéramos podido decir que en realidad el "mar violeta" añora-
ba el "nacimiento de los dioses". Quizá no era violeta. Tenía en
cambio un intenso azul de salitre y los dioses tal vez no nacían
de allí porque andaban por sus orillas, dioses con los cuerpos

espléndidos, fuertes como árboles, por donde corría, corre, la sangre negra, "mientras más negra mejor". Y recordábamos el párrafo que Lezama Lima había publicado en *El Diario de la Marina* en marzo de 1950:

"Pero en el trópico, la naturaleza es un personaje. Un personaje hinchado y total que rompe las páginas de sus novelas. Aquí la naturaleza no respeta el diálogo ni las horas de amor. Seguramente nuestra naturaleza se complace en su orgullo de ver al hombre como un árbol más".

10

A esa Habana llegó el poeta serio y triste y algo áspero (como los erizos). A diferencia de Lorca, tan extrovertido e histriónico, Cernuda no parecía un sevillano sino un inglés. O quizá algo más trágico: "[...] un hombre calmo pero desesperado: una especie de suicida tan correcto que no se pegaba un tiro por temor a herir a sus amigos". José Rodríguez Feo lo describe así el día de su primer encuentro en Mount Holyoke:

> [...] no vi a nadie que se pareciera al poeta. Al cabo de un tiempo, el andén quedó desierto, pero cuando me dirigía un tanto perplejo hacia la parada de taxis, vislumbré a lo lejos a un individuo que era la estampa misma de un caballero inglés [...] Era Cernuda: un señor de porte distinguido, más bien delgado, de baja estatura, cabello ligeramente encanecido y un pequeño bigote. Su rostro de ángulos pronunciados parecía esculpido por un antepasado fenicio. [Antonio Rivero Taravillo, *Luis Cernuda. Años de exilio 1938-1963*, Tusquets Editores, Barcelona, 2011].

Sería interesante imaginar a aquel sevillano de porte inglés en La Habana bullanguera de los años cincuenta. Él mismo le revela a José Rodríguez Feo que se siente más cerca de Cádiz y de Sevilla que en cualquier otro lugar. Quizá en apariencia, La Habana se asemeje más al alegre histrionismo de Lorca que a la abatida (trágica) introversión de Cernuda. Pero no hay que dejarse engañar por las apariencias. Ni Lorca era tan expansivo ni Cernuda tan retraído, ni La Habana ha sido únicamente una ciudad ruidosa, juerguista o frívola. Hay que entender La Habana, entenderla muy bien para escribir, en "Aire y cielo de La Habana" (*Prosa completa*, Barral Editores, Barcelona, 1975), las observaciones que siguen:

> Antes de caer en La Habana había yo visto tierras del trópico, y, aunque no mucho, lo bastante atardecer en La Habana para percatarme que, al contrario de la creencia común, una de sus más elementales características puede ser la mesura. La Habana me confirmó en dicha creencia, quedando ya para mí como ejemplo de ella. Y es que paradójicamente, como ciudad, parece existir por su cielo y quien quiera hablar de ella no puede hacerlo sin antes hablar de su aire. Para conocerla hay que mirar hacia arriba, y no en cualquier momento del día, sino de preferencia al atardecer.

> Algunas ciudades conozco de cuyo atardecer guardo memoria: Sevilla y su poniente junto al río; Cambridge, con sus nubes marmóreas de verano paradas en círculo sobre el horizonte; México, tendido en su valle bajo la claridad roja y gris del crepúsculo. También en La Habana el atardecer es memorable: el aire ahí no se ensancha tanto como se ahonda, entreabriendo camino, como para unas alas, hacia el fondo mismo del cielo, en cuyas nubes o, mejor, en cuyos celajes, vibran los colores ensordecidos. La silueta de la ciudad entonces, al ahondarse de tal modo el aire sobre ella, parece descansar, igual que la superficie de un agua quieta, bajo la maravilla de su cielo.

¿Dónde había yo visto algo afín? No en la realidad, probablemente. ¿Venecia? El Malecón, recorrido aprisa en coche, desplegando su curva un poco solemne, no me retraía tanto a cierta vislumbre de Cádiz como a Venecia que, por lo demás, no conozco. Entonces, ¿por qué Venecia? Ahí está la clave de lo que trato de sugerir: no la ciudad por mí no vista, sino su pintura de horizontes marinos y aires levantados. La Habana, en esa tamización final del recuerdo, con los celestes, los violados, los grises de su celaje crepuscular, de una sin par delicadeza pictórica, ahondaba para mí el decorado a lo Tiépolo de una Ascensión.

La Habana es su cielo, y este no parece parte del cielo común a toda la tierra, sino proyección del alma de la ciudad, afirmación soberana de ser lo que ella es. ¿No se diría que hermosa, airosa y aérea: un espejismo?

11

Espejismo. Ilusión óptica resultado de la reflexión total de la luz al atravesar la densidad de aire hirviente, según se lee en el más común de los diccionarios. Objetos lejanos que parecen reflejarse en el agua. Ofuscación. Ensueño. Espejismo. Una ciudad que se levanta (o se derrumba) en medio del exceso de luz, y donde se padece el sobresalto de que también nosotros, los que en ella hemos vivido, o vivimos, o viviremos, parecemos invenciones, cuerpos sin cuerpos, sin pasado, presente ni futuro.

12

¿Culpa del tedio, de la impaciencia? ¿O culpa de la impresión de que no éramos nadie, nada? Lo cierto es que muchas tardes nos íbamos a deambular por La Habana que no existía y que tal vez nunca existió. Buscábamos entrar en el recuerdo, en La Habana del recuerdo, como si fuera posible. Queríamos vivir en el pasado de quienes ya carecían de pasado, como si no fuera inaudito. Íbamos en busca de palabras, frases, imágenes, fulgores, memorias en los edificios mudos, de los que estaban en pie y de los que se habían venido abajo. En las calles que ya eran otras calles. Un ejercicio muy arduo reconstruir un palacio o un teatro, con dos o tres columnas y cinco capiteles. Queríamos ver el esplendor y solo encontramos la decadencia. Ni siquiera eso. El desastre. ¿Se llama esta calle Trocadero y vivió aquí verdaderamente José Lezama Lima? ¿Paseaba por estas avenidas un poeta llamado Virgilio Piñera? ¿Hubo alguna vez un gallego llamado Lino Novás Calvo? ¿Y el cabaret Capri donde, según Guillermo Cabrera Infante, cantaba sin música La Estrella? ¿A dónde íbamos? ¿Qué se nos había perdido tan definitivamente? ¿Llegó García Lorca en barco desde Miami? ¿Vino Luis Cernuda desde México, algunos meses antes de que Fulgencio Batista diera el golpe de Estado contra Prío Socarrás? ¿Dónde estábamos? ¿Dónde no estábamos? Y terminábamos el paseo (¿el paseo?) con la sensación de quienes regresaban del paraíso o del infierno, sin la flor, sin la prueba de que efectivamente habíamos estado allí.

13

Es asombroso: se requieren cinco siglos para levantar una ciudad, y solo unos cuantos años para destruirla.

París

Hay, madre, en el mundo un sitio que se llama París.
Un sitio muy grande y muy lejano y otra vez grande.

CÉSAR VALLEJO

El lunes cinco de noviembre de 1888 (hace ahora ciento veintiún años), el joven poeta Julián del Casal subió en el puerto de La Habana a bordo de un vapor francés, el *Chateau Margaux*, y se embarcó para Europa. Su objetivo, por supuesto, era llegar a París. Como la de muchos, París era la ciudad de sus nostalgias y sus sueños. Quería perderse entre sus bulevares, frecuentar la bohemia, ansiaba conocer, de primera mano, a los poetas que habían dejado atrás el viejo romanticismo, aquellos que habían revolucionado la poesía y le habían otorgado un brillo nuevo al hacerla corresponder con sonidos, colores, sabores, con sentimientos y símbolos, con extrañas alegorías. A Baudelaire ya no podría conocerlo: Baudelaire, el más grande, y también el que abrió las puertas, había muerto hacía veinte años, aunque sí podía visitar su tumba, en Montparnasse, la misma del general Aupick. Pero allí, además, en la gran ciudad, vivía aún el autor de *Las diabólicas*, el teórico del dandismo, Barbey D'Aurevilly, y el decadente y pesimista Joris-Karl Huysmans (quien murió en 1907, en olor de santidad), y el gran simbolista Paul Verlaine, con quien el cubano había intercambiado una breve aunque intensa correspondencia. En alta mar, el joven poeta cumplió veinticinco años. A bordo del vapor francés, escribió un soneto titulado "En el mar":

> Abierta al viento la turgente vela
> y las rojas banderas desplegadas,
> cruza el barco las ondas azuladas,
> dejando atrás fosforescente estela.
>
> El sol, como lumínica rodela,
> aparece entre nubes nacaradas,
> y el pez, bajo las ondas sosegadas,
> como flecha de plata raudo vuela.
>
> ¿Volveré? ¡Quién lo sabe! Me acompaña
> por el largo sendero recorrido
> la muda soledad del frío polo.
>
> ¿Qué me importa vivir en tierra extraña
> o en la patria infeliz en que he nacido
> si en cualquier parte he de encontrarme solo?

Algunas semanas más tarde, el barco atracó en el puerto de Santander. Antes de dirigirse a París, el poeta hizo una escala en Madrid. Una escala que, según sus planes, sería corta. La capital del reino solo sería un alto en el camino, la estación de un raro vía crucis. No era Madrid la ciudad que le interesaba, claro: el Madrid de esos años era cerrado y provinciano, con olor a incienso, a botafumeiro, y en espacios así la poesía solía ahogarse y se retraía, daba la impresión de que desaparecía. Julián del Casal nunca llegó a París, sin embargo. Algo lo detuvo en Madrid. Algo lo aterró y demoró en Madrid, algo lo paralizó. Y lo peor, regresó a La Habana. Regresó el 27 de enero de 1889 sin haber visitado la ciudad de sus sueños. ¿Por qué Julián del Casal decidió no ir a París? Estamos ante un misterio, uno más en la vida de este poeta maravilloso que solo vivió veintinueve años. Se ha dicho que el dinero no le alcanzó para continuar el viaje. Se ha dicho que lo asustó enfrentarse con la gran ciudad. El miedo a confrontar los enormes destellos de su fantasía con las torpes y pobres irradiaciones de la realidad. Cualquier cosa es posible en el hombre que escribiría en su poema "Nostalgias":

> Cuando tornara el hastío
> en el espíritu mío,
>   a reinar,
> cruzando el inmenso piélago
> fuera a taitiano archipiélago
>   a encallar.
> Aquel en que vieja historia
> asegura a mi memoria
>   que se ve
> el lago en que un hada peina
> los cabellos de la reina
>   Pomaré.
> Así, errabundo viviera,
> sintiendo toda quimera,
>   rauda huir,
> y hasta olvidando la hora
> incierta y aterradora
>   de morir.

> Mas no parto. Si partiera
> al instante yo quisiera
>   regresar.
> Ah, ¿Cuándo querrá el destino
> que yo pueda en mi camino
>   reposar?

Como se ve, un hombre marcado por el "mal del siglo". El *spleen*, el hastío. Fueran las que fueran las razones del regreso, lo cierto es que después de ese viaje a Europa en busca de París, sin encontrarse con París, la capital de Francia fue más que nunca, con mayor razón aún, un símbolo de lo añorado y lo desconocido, la capital de la elegancia, de la cultura, del refinamiento, de todos los refinamientos, el paraíso recóndito e inalcanzable, lo quimérico, ilusorio, inaccesible. Como si Casal, *avant la lettre*, diera la razón a Marcel Proust cuando el gran novelista decía en una página memorable de *À la recherche du temp perdu*, que "solo se ama lo que no se posee". Francisco Chacón, un periodista contemporáneo de Casal, ha contado en algún lugar que en cierta ocasión le propuso hacer un viaje y este respondió con una frase que me atrevo a llamar, aunque parezca una tontería, extraordinariamente casaliana: "No quiero ir, porque no quiero volver". Una frase conmovedora y terrible en su sencillez. Una frase que revela una áspera impotencia. Una frase proustiana si las hay, proustiana *avant la lettre*. Toda una concisa definición del cansancio por el viaje y, claro está, del cansancio de vivir.

Hacía ya muchos años que Latinoamérica había comenzado el largo viaje inverso de la conquista de América. Hacía ya muchos años que Latinoamérica se había lanzado al descubrimiento de Europa. Y dentro de Europa, muy en especial de París, símbolo de la modernidad y del cosmopolitismo para una sociedad, la latinoamericana, tan ávida de cultura, de modernidad y cosmopolitismo, una sociedad fatigada ya de tantas contiendas, de tantas batallas, de tanto cacicazgo, de tanta muerte y brutalidad. Como ha dicho Pedro Henríquez Ureña: "A la independencia siguió en la América hispánica un período de anarquía, y a este un período de organización; a partir de 1870, empezamos a cosechar los frutos de la estabilidad, y para 1890, había ya prosperidad". Y es que luego de conquistada la independencia, con el ascenso de una burguesía verdaderamente latinoamericana, al establecerse una cultura de clase urbana, América descubre lo desamparada, lo sola que está, los cien años de soledad que la envuelven, y la lejanía en que se halla en relación con el mundo. Sus grandes ciudades están demasiado lejanas del "mundo conocido". Una "lejanía histórica", como ha dicho Octavio Paz al hablar de Darío en su ensayo "El caracol y la sirena". Mucho ha sufrido América con las guerras de independencia, y mucho más ha sufrido con las batallas cainitas de sus caciques, dictadores, supremos (batallas que, como ya tristemente sabemos, duran hasta hoy). Una cierta América necesita un poco de reposo, de lujo, de esplendor, de glamour, de buen gusto. Y, además, América, y sobre todo su burguesía ilustrada, quiere corregir el hallarse a tanta distancia, tan en la periferia, tan en los márgenes. América quiere sentirse en el mundo, cerca de todo y de todos, en medio del centro de la realidad, y por eso vuelve la mirada hacia Europa y en especial a París. Y los cubanos de la segunda mitad del siglo XIX y principios del XX, en particular, por razones que tienen que ver con la cultura, y también con la política, prefieren mirar hacia París o hacia Nueva York que mirar a Madrid o Barcelona. Sin embargo, era el momento ideal de mirar hacia París, porque la capital de Francia, como declaró Walter Benjamin, era la capital del siglo XIX. Ahora bien, ¿por qué a París? ¿Por qué era París la capital del siglo XIX? La respuesta no es simple y en ella desempeñan un gran papel factores extraordinariamente diferentes. Pero intentaré, si no responderla, acercarme al menos a una posible respuesta.

Todavía en 1789, París es casi una ciudad medieval con poco más de medio millón de habitantes. Como todos sabemos, sus diferencias sociales eran enormes. Veamos, por ejemplo, el testimonio de Frances Trollope, una escritora inglesa, madre de Anthony Trollope, quien a inicios del siglo XIX, escribe en su libro *París y los parisinos*:

> El ruido excesivo de París, debido quizá a la desigualdad del pavimento, o a la mala construcción de sus calles, es tan violento e incesante que semeja el sonido de un demonio atormentador. Una larga zanja de agua corta las calles en dos, e interrumpe la comunicación entre las casas a uno y otro lado. Al menor aguacero, es preciso correr hacia los puentes... ¡Es necesario evitar el barro, el pavimento resbaloso, los ejes de las carretas! [...] ¿Gracias a qué milagro se puede atravesar una de las ciudades más sucias del planeta? [...] La sangre corre a vuestros pies y vuestros zapatos se enrojecen [...]

Esto no es más que un pequeño ejemplo de todos los horrores que describe Mrs. Trollope. Y no solo ella. No por gusto se vive una revolución como la Revolución francesa, tan extraordinariamente importante que cambia la historia del mundo, que inicia toda una era. Los sucesos de 1789 y la posterior instauración del Imperio (Napoleón, por cierto, dudó entre Lyon y París para la capital del Imperio, y solo después de algunas dudas se decantó por París) hacen que la ciudad crezca aún más, desmesuradamente, hasta el punto de que hacia la mitad del siglo XIX la población de París es tres veces la de 1789. Los historiadores dan muchas explicaciones, independientemente del hecho histórico de la revolución y del Imperio, como el desarrollo del ferrocarril, la revolución industrial, el desarrollo industrial de París con el florecimiento de las artes gráficas, la industria del cuero, del mueble, de las fundiciones. Eso no nos importa demasiado, o en cualquier caso no es este el lugar para entrar en semejantes disquisiciones. Lo cierto es que París crece de modo desmedido. Una enorme afluencia de inmigrantes arriba desde todas partes del país. A diferencia de otros países europeos, a diferencia de Inglaterra, por ejemplo, donde las pequeñas ciudades progresan a la par que Londres, París se desarrolla más y a despecho de las demás ciudades de Francia. Durante el Imperio y la Restauración la ciudad no solo crece, sino que comienza a enriquecerse. Sin embargo, es durante el segundo imperio que comienza a alcanzar el aspecto de gran ciudad con que la conocemos hoy. La revolución de 1848, conocida como "la primavera de los pueblos", fue, según todos los libros de historia, resultado del último golpe de la revolución industrial y el liberalismo contra los restos del orden feudal. En París, la revolución de 1848 fue, sobre todo, una revolución contra el hacinamiento de la ciudad, contra los tugurios donde vivía la mayor parte del pueblo, contra las epidemias, las dificultades del transporte, los alquileres demasiado elevados, el desempleo, el trabajo precario. De manera que una de las primeras preocupaciones del segundo imperio proclamado por Luis Napoleón Bonaparte, y conocido, como ya sabéis, con el suntuoso nombre de Napoleón III, a partir de su ascenso a emperador en 1852, es nombrar a Georges-Eugene Haussmann, futuro barón del Imperio, para la reconstrucción y modernización de París.

Es pues el barón Haussmann quien, en gran medida, otorga a París el aspecto con que hoy la conocemos. Entre otras muchas cosas, es él quien diseñó el Bois de Boulogne, e hizo amplias mejoras en los parques pequeños. Los jardines del Palacio de Luxemburgo, el famoso Jardín del Luxemburgo, fueron cortados para permitir la formación de nuevas calles, y el Bulevar de Sebastopol, cuya mitad meridional es actualmente el Bulevar Saint Michel, fue trazado a través de un distrito inmensamente poblado. Al mismo tiempo, tuvieron lugar cambios radicales para hacer anchos bulevares de lo que hasta entonces eran calles reducidas. Se ideó una nueva conducción de agua, un sistema gigantesco de alcantarillas, puentes nuevos, y, muy en primer lugar, el edificio de la ópera encargado al arquitecto Garnier, que aún hoy nos admira, con su ecléctico empaque, su aspecto majestuoso que tanto influyó en la arquitectura de todo el mundo.

Y, por supuesto, no solo se transforma el aspecto físico de París, sino además, y mucho más importante: se enriquece su entramado social, la complicación social. El laberinto, la barahúnda social es extraordinariamente importante para que una ciudad llegue a ser, de manera indiscutible, una ciudad. Pondré un ejemplo. Tomemos un teatro, tal vez el propio edificio de la ópera de Garnier. Un teatro no es solo un lugar donde el público asiste a la representación de funciones de ópera y *ballet*. Todos sabemos que no. Todos sabemos que un gran teatro, o incluso un teatro pequeño, no es únicamente un lugar donde sentarnos y asistir a una representación. Un teatro es mucho más. Para asistir a una representación de ópera o *ballet* en la Ópera de París, se requiere de una disposición social importante, de un vestuario adecuado, de un hábito adecuado, de una complicidad, de una mirada adecuada. En un bellísimo ensayo titulado "La ópera y la jaba", sobre lo iluso de llevar la ópera y el *ballet* al campo y a las montañas de la Sierra Maestra, el poeta Antonio José Ponte ha dicho:

> [...] quien haya asistido a una noche memorable de ópera recordará cómo aquello sucedido en palcos y platea resultaba tan notable, por momentos, como lo cantado. Sala y escenario juntaban sus dos óperas, toda una sala en la evocación feliz de no ser menos legendarios que aquellos que cantaban [...] Nadie llega a la ópera si no alcanza a creerse un tanto personaje de ella.

En efecto, el gran teatro de ópera y *ballet* no es solo el espacio de una representación teatral que tiene lugar en el escenario, es también el espacio de una representación, de un movimiento simbólico, ritual, que tiene lugar en el patio de butacas, una representación social. El espectador no solo va a "ver", también va a que lo "vean". Compartir una representación teatral, una representación de ópera y *ballet* no es únicamente mirar hacia el escenario. Es asimismo "compartir" esa mirada, participar en una liturgia, en una experiencia colectiva. Es entender su significación social. No solo se asiste a la exhibición de unos actores, también se asiste a la exhibición del público. Antes de la función, y en los entreactos, se conversa sobre los últimos sucesos, sobre las grandes y pequeñas noticias. Los prismáticos no sirven únicamente para ver a bailarines y cantantes, sino que además sirven para ver con quién ha venido la señora de Tal, o cómo va vestida la señora Mascual. El teatro no solo es útil para emocionarnos individualmente: compartimos la emoción, sentimos su resonancia en los otros, lo cual hace que nos emocionemos más. Y también es útil para estar al día con cuanto acontece en la ciudad, desde la *petit histoire*, hasta la grande. A tal efecto recuérdese, por ejemplo, *Les liasons dangereuses*, las fiestas o las tertulias de cualquier novela de Balzac, el inicio mismo de *Naná*, de Émile Zola, cuyo primer capítulo se abre, nada más y nada menos, que en el Teatro de Varietés.

Del mismo modo sucede con los cafés, con los jardines, con los restaurantes, con las tertulias, con las fiestas. Se diría que todo cuanto allí tiene lugar significa "algo más" que lo que en realidad tiene lugar, una *mise-en-scène*, rito de retumbos agrupados, una complicación de situaciones que nace de nuestra condición integradora. En los jardines se pasea al sol o bajo la sombra de los bosques, se escuchan las fuentes, los pájaros que cantan, se ven pasar, como sílfides, a esas mujeres extrañas, como de mundos misteriosos, producto solo de las ciudades, que van echando pan a las palomas. Se observa el paisaje. Se hace todo eso y también acontece algo más. En los restoranes se come y se bebe, y también acontece algo más. En las fiestas se baila, se conversa, se entrega uno a la diversión y al *flirt*, a la conquista..., y también acontece algo más. En las tertulias se conversa, se lee... y también acontece algo más. Pues aquí viene lo notable de lo que quiero decir: de "ese algo más que acontece" se hace la literatura. La literatura se apropia del hecho y de lo "otro", se apropia de lo que acontece y de todo lo otro que está más allá de lo que acontece. La literatura se hace con lo sutil, con las finísimas hebras de ese entramado social que conforma un enmarañadísimo tapiz. La literatura no surge simplemente de asistir a una función de *ballet*, surge de cuanto implica asistir a esa función de *ballet*, incluyendo, sin lugar a duda, la función misma. Me arriesgo a hacer una afirmación categórica: sin literatura no hay ciudad. Bueno, como ustedes comprenderán no quiero decir que sin ella no exista el hecho físico de la ciudad, quiero más bien decir que sin la literatura no hay mito, el importante mito de la ciudad. Sin la literatura la ciudad, cualquiera, no pasa de ser un conjunto de barrios, de calles, de esquinas, de casas, de jardines. Es la literatura (bueno, por supuesto, y la pintura, la música, la ópera, la filosofía, el *ballet*, solo que es ella, en mi opinión, la que, poseedora de la palabra, del texto, tiene la mayor influencia en la construcción mítica de una ciudad), es la literatura, insisto, la que eleva una ciudad de ser una suma de edificios y de personas que viven en ellos, a ser lo que se conoce verdaderamente por una ciudad. Sin la literatura, una ciudad puede construir pórticos y pórticos para protegerse del sol y guarecerse de la lluvia, pero eso alcanza dimensión verdadera cuando Alejo Carpentier escribe *La ciudad de las columnas*. Sin la literatura, Lima puede poseer su lado oscuro, pero no será tal hasta que Salazar Bondy escriba *Lima, la horrible*. Es la literatura la que nombra, la que describe, la que detalla, la que ilumina y oscurece, la que hace de París algo más que París, la que transforma París en la Ciudad Luz.

Existen ciudades favorecidas por la literatura y existen también ciudades no favorecidas por ella. Se podrían poner muchos ejemplos, como La Habana, por solo citar uno junto al de París. La Habana está construida a partir de su extraordinaria literatura. No solo la literatura que la escribe, sino también de aquella que la añora. Y París, mucho antes que La Habana, es una ciudad escrita. Y no solo escrita desde el estar en ella, sino además desde el despreciarla o desearla, desde el odiarla o añorarla. Y el Nueva York de John Dos Passos, de Saul Bellow, de Paul Auster. El Londres de Dickens o de nuestro contemporáneo Martin Amis. El Buenos Aires de Borges, de Roberto Arlt, de las letras de tango. El Montevideo fabuloso de Onetti. El Dublín de Joyce. El México de Alfonso Reyes o de Carlos Fuentes. La Asunción de Roa Bastos. La Alejandría de Kavafis. La Viena de Stefan Zweig. La Venecia de Thomas Mann o de Joseph Brodski.

Esa es una de las razones de lo que significa París para nosotros. Como ha dicho con tanta precisión Octavio Paz, "más que la capital de una nación, París es el centro de una estética". Quienes hemos estado en ella, la hemos reconocido en la palabra de aquellos que la amaron tanto como en la de aquellos que la odiaron, e incluso de aquellos que la amaron y la odiaron, que ya sabemos que eso también es posible, y tanto la odiaron y la amaron que la *escribieron*. Si encontramos con la catedral de Notre Dame, enseguida sabemos dónde estamos, no solo por la fotografía, o por el cine, sino mucho antes y mucho más por una maravillosa novela de Víctor Hugo donde hay una gitana y un jorobado. Antes de visitar París, ya habíamos recorrido sus calles, incluso su laberíntico alcantarillado, en las páginas de *Los miserables*. La conocíamos por las páginas de *Naná*, por los libros de Theophile Gautier, por los poemas de Baudelaire, por la prodigiosa y fabulosa Comedia Humana, de Balzac, esa extraordinaria epopeya cuyas novelas, solo sobre París, sobrepasan el número de 40, y por la no menos enorme y definitiva construcción de la monumental novela de Proust. Permítanme, por favor, recordar el último párrafo de una novela que amé en mi adolescencia, y que aún amo como continúo amando aquella zona de mi vida en la que fui tan desdichado y tan feliz, tan felizmente desdichado, tan gozosamente desventurado, una novela que leí en un día y una noche de asombro, *Père Goriot*. El último párrafo de *Père Goriot* quedó grabado en mí para siempre como un símbolo de la soberbia y de la fuerza que a cada momento la vida nos impone. Leo a Balzac, según la traducción de Rafael Cansinos-Assens:

> Cuando se supo solo, Rastignac dio unos pasos a lo alto del cementerio, y vio París, tortuosamente tendida a lo largo de las dos orillas del Sena, donde ya empezaban a brillar

las luces. Sus ojos ansiosos se fijaron entre la columna de la plaza Vendôme y la cúpula de Los Inválidos, allí donde vivía aquel hermoso mundo que había querido penetrar. Lanzó sobre la bordoneante colmena una mirada que parecía sorber por adelantado su miel y pronunció estas inmensas palabras:

—¡Ya nos veremos las caras!

Y como primer acto de desafío que lanzaba a París, Rastignac fue a cenar con la señora de Nucingen.

Este desafío es de 1835. Y en esta personalización de París, en este convertir París en un ser vivo y antagonista, en este "Ya nos veremos las caras", tenemos un importantísimo paso en la construcción mítica de una de las ciudades más añoradas y visitadas del mundo. Esto quiere decir, como ha visto Northrop Frye, que a París se la conoce antes de visitarla.

Por supuesto, en estos años también tienen lugar otros sucesos decisivos. Y extraordinariamente, en 1857 aparece un poemario que será aún más revolucionario que la revolución de 1848, aún más trascendental que la reforma urbanística del barón de Haussmann. Un poemario que inaugurará una conmoción en la poesía, una conmoción que aún dura, que llega hasta hoy, de la que no hemos podido, ni querido, librarnos. Un poemario al que Hugo, que no era precisamente un poeta de segunda, que también era, a su modo un visionario, y quien llena con su gigantesca figura todo el siglo, llegó a calificar como *un frisson nuveau*, "un estremecimiento nuevo". Seguramente ustedes lo sospechan. Sí, hablo de *Las flores del mal*, de Charles Baudelaire, cuya primera edición, de poco más de mil ejemplares, vio la luz en el verano de 1857. Las flores del mal podrían compararse con una pedrada, una fuerte pedrada lanzada a las aguas de la poesía, cuyas hondas continúan incluso en este presente nuestro. A partir de él, ya la poesía, en cualquier idioma, no fue la misma. Con Baudelaire comienza la modernidad en poesía. Pero, ojo, modernidad en el sentido en que lo dice Octavio Paz, es decir que

la modernidad que seduce a los poetas jóvenes al finalizar el siglo XIX no es la misma que seducía a sus padres; no se llama progreso ni sus manifestaciones son el ferrocarril o el telégrafo: se llama lujo y sus signos son los objetos inútiles y hermosos. Su modernidad es una estética en la que la desesperación se alía al narcisismo y la forma a la muerte [...]

Su afrancesamiento fue un cosmopolitismo: para los escritores latinoamericanos del fin de siglo. No obstante es que, de cualquier modo, ese centro de una estética era verdaderamente admirable. Después de la publicación de *Las flores del mal*, la eclosión literaria de París es extraordinaria. Son los años de los *Cantos de Maldoror* (de Lautréamont), de Rimbaud, de Verlaine, de Mallarmé, de Huysmans, de Barbey D'Aurevilly, de Villiers de L'isle Adam, de Valéry, por solo citar algunos. Y si fuéramos a hablar además de la novela, de la pintura, de la música, tendríamos que dedicar mucho tiempo. De manera que la ciudad no solo ofrece su aspecto monumental y hermoso posterior al segundo imperio, sino que es, asimismo, un centro irradiante de la cultura, y más aún: la meca del espíritu.

En el caso de Cuba, esta circunstancia, del gran París acogedor y pletórico de poetas no es exactamente un descubrimiento de los modernistas. Culturalmente hablando, y como apuntó Fernando Ortiz, Cuba es un ajiaco. La imagen del ajiaco criollo, con su mezcla de viandas y vegetales, simboliza extraordinariamente bien la formación del pueblo cubano. Una mezcla grande que crea una sociedad felizmente mestiza. Españoles, gentilicio que implica, a su vez, muchos otros gentilicios: andaluces, gallegos, canarios, castellanos, vascos, catalanes, mallorquines...; africanos que es otro gentilicio múltiple: mauritanos, senegaleses, guineanos, congos, angoleños...; chinos... y, por supuesto, franceses. A este respecto dice Fernando Ortiz, quien por cierto fue cónsul cubano en París, en un ensayo esencial titulado "Los factores humanos de la cubanidad":

Pocos años después que los anglosajones, entraron en Cuba los franceses, expulsados de Haití, mudados a La Luisiana. Crean cafetales de más riqueza que los ingenios, crean comercios con su metrópoli; en nuestro Oriente crean un foco de cultura refinada que da envidias a La

Habana. Pero un obispo de Cuba predica su exterminio y expulsión —como ahora se hace contra los judíos—, y se les persigue y destierra y confisca. Mas ellos vuelven, pasado el vendaval napoleónico y la reacción absolutista, y reconstruyen arruinadas haciendas, hacen nuevos ingenios, fundan ciudades en bahías desiertas y nos traen la marsellesa, el romanticismo, las modas elegantes y las exquisiteces de la cultura de Francia. Todo lo que en Cuba brillaba por culto o por bello quería ser francés. Literatos y pensadores se afrancesan y triunfan en las cortes de París las bellas damas cubanas: la Merlín, la Fernandina [...] aún hoy día llora sobre las ruinas en la afrancesada aristocracia de Polonia una anciana que fue bella y princesa y es de Camagüey. En el siglo XIX las Américas española y portuguesa se acercan espiritualmente a Francia e Italia, de donde nos llegan las vibraciones libertarias que España nos negó.

Como dice Ortiz, en París llegó a ser una celebridad la habanera María de la Merced Santa Cruz y Montalvo, la *Belle Créole*, como le decían, La Bella Criolla, quien se casó en Madrid, en 1809, con el ayuda de campo de José Bonaparte, el general de división Antoine-Cristobal Merlin, hecho conde por el emperador, es decir, de nobleza napoleónica. Fue ella, la condesa, quien creó un famoso salón en su casa de la calle de Bondy, al que asistían la princesa de Caraman Chimay, lord Palmerston, el general Lafayette, el conde D'Orsay, y, más notable aún, Víctor Hugo, Alfredo de Musset, Alfonso de Lamartine. Todo cubano importante de la época que llegara a París asistía a reverenciar a la anfitriona: Luz y Caballero, José Antonio Saco, Domingo del Monte. La propia condesa, que además de escribir muy bien, poseía una hermosa voz de soprano, amenizaba las noches con arias de Rossini. Es de resaltar que en esas veladas comenzó su carrera artística un mito de la ópera, María Malibrán, tan admirada por la mezzosoprano de nuestros días Cecilia Bartoli. Llegó a ser una mujer tan mimada en aquella ciudad que Honoré de Balzac le dedicó una de sus primeras novelas. Y es, finalmente, la escritora de un libro exquisito, *L'Havane,* en castellano conocido como *Viaje a La*

Habana, libro indispensable para conocer la sociedad cubana del siglo xix. En aquella misma ciudad de *madame* Merlin, Domingo del Monte, que se había exiliado en París durante los sucesos de la Conspiración de la Escalera, fue nombrado miembro honorario de la Academia de Historia de París. En París estudia Juan Gualberto Gómez. A París viaja en 1846, el maravilloso alucinado José Jacinto Milanés, acompañado de su hermano Federico, *Fico*, como él le decía (también poeta) en un intento desesperado, y por demás inútil, de alejar la locura que ya lo iba dominando. Desde la capital francesa, Fico escribió a la hermana de ambos, Carlota Milanés:

> Ahora te diré en resumen, que siguiendo mi natural instinto de viajero que gusta recibir las impresiones por sí solo, sin preparativos, como hacen los ingleses, por la mañana o por la tarde, después que le echo una ojeada al plano de París, satisfaciendo esa hambre de ver que hasta ahora habían despertado en nosotros los libros, las láminas y las conversaciones. Así hemos visitado la galería del Louvre, donde hemos visto la colección más brillante de estatuas, cuadros y antigüedades que se pueda encontrar. Hemos visitado la antiquísima iglesia de San Germán, la de San Roque y la de Notre Dame. En esta última, todo es bello, todo grandioso, y al verme dirigirme yo a ella por entre un laberinto de callejuelas oscuras y barrios antiguos sin más guía que la de las señas que había tomado, me parecía que veía a los hampones y a Pedro Gringoire por allí. Llegamos y en la puerta nos pidió limosna una mujer tan fea y corcovada que me hizo recordar a Cuasimodo.

Entre marzo de 1858 y febrero de 1859 se editó en la capital francesa *El Eco de París*. Una revista imaginada y editada en castellano por un grupo de cubanos que estudiaban allí Medicina, en París. En sus páginas se consignaban y comunicaban los estudios, trabajos y doctrinas de la escuela francesa a sus compatriotas que realizaban los mismos estudios en la Universidad de La Habana. Por esta vía tuvieron los estudiantes de La Habana la oportunidad de alcanzar los conocimientos adquiridos por sus compañeros en París. A este París llegó José Martí, acompañado por Fermín Valdés Domínguez, vía puerto de Santander-puerto de Le Havre, en diciembre de 1874. Existe constancia de una importante visita al Louvre, donde admiró la *Victoria de Samotracia*; el prodigioso altorrelieve de la *Ninfa de Fontainebleau*, de Cellini; la *Diana*, de Boucher; la *Anunciación* de Van der Weyden; *Las bodas de Caná*, de Veronese; *La libertad guiando al pueblo*, de Delacroix; La mujer ante el espejo, de Tiziano. Se tiene constancia de su febril paseo por la plaza de la Concorde, por Notre Dame, por el Palais Royal, por la biblioteca pública y la Sorbonne. Augusto Vaquerie, un famoso periodista francés a quien los cubanos fueron a presentarse con cartas de recomendación de poetas españoles, los guio por el Barrio Latino y por el Père Lachaise. No se había construido aún la torre Eiffel. De este paseo dirá después con tono de admiración y de dolor:

> [...] hemos paseado por las orillas del oscuro Sena, por los corredores del teatro Odeón, por las cercanías del Panteón, palacio de los grandes hombres muertos, y el Luxemburgo, palacio de los grandes hombres vivos —conmueven noblemente al viajero americano dobles impresiones, de gratitud las unas hacia el pueblo que en la política ha producido la edad moderna, y en la ciencia la útil ciencia libre— de emulación las otras y tristeza por la pequeñez de nuestras escasas librerías. ¡Qué hermoso que París tenga tanto! ¡Que triste que nosotros tengamos tan poco!

Y, lo más importante, Vacquerie los condujo hasta la presencia de uno de los grandes poetas del siglo XIX; porque Augusto Vacquerie era hermano de Charles Vaquerie, el que fuera esposo de Leopoldine Cecile Marie-Pierre Catherine Hugo (hija del gran autor de *La leyenda de los siglos*) muerta a los pocos meses de casada, junto a su esposo, a la edad de diecinueve años, cuando se hundió en el Sena el bote en el que paseaban. De modo que Martí y Víctor Hugo se encontraron una tarde de enero de 1875. Martí admiraba a Hugo desde hacía mucho. Del poeta francés el poeta cubano decía que "llevaba el siglo pegado a él como las alas de una mariposa". De esa reunión se sabe que Martí salió extraordinariamente impresionado y con un libro que Hugo le entrego para que tradujera, *Mes fils*. De esa traducción, Martí diría después:

> Yo habré traducido mal; pero en fin yo me he alegrado una vez bien. Dificultades graves. Traducir es transcribir, de un idioma a otro. Yo creo más, yo creo que traducir es transpensar; pero cuando Víctor Hugo piensa y se traduce a Víctor Hugo, traducir es pensar como él, impensar, pensar en él. Caso grave. El deber del traductor es conservar su propio idioma, y aquí es imposible, aquí es torpe, aquí es profanar. Víctor Hugo no escribe en francés; no puede traducírsele en español. Víctor Hugo escribe en Víctor Hugo: ¡qué cosa tan difícil traducirlo!
>
> Yo anhelo escribir con toda la clara limpieza y elegancia sabrosa y giros gallardos del idioma español; pero cuando hay una inteligencia que va más allá de los idiomas, yo me voy tras ella, y bebo de ella, y si para traducirla he de afrancesarme, me olvido, me domino, la amo y me afranceso. De otros, traducir es pensar en español lo que en su idioma ellos pensaron. De él, traducir es pensar en la mayor cantidad de castellano posible lo que él pensó, de la manera, en la forma en que lo pensó, porque en Víctor Hugo la idea es una idea y la forma otra. Su forma es una parte de su obra, y un verdadero pensamiento: puesto que él crea allí, o la traducción no sería una verdad, o en ella es preciso crear también —yo no lo he traducido, lo he copiado— y creo que si no lo hubiera copiado, no lo hubiera traducido bien...

También en París, durante su segundo viaje de 1879, tuvo Martí otro encuentro memorable: asistió a una representación (en beneficio de las víctimas de una catastrófica inundación en Murcia) de *Fedra*, de Racine, actuada por Sara Bernhardt, de quien Martí diría quedaría prendado y de quien diría que era "un alma soberbia, una mujer que ha sabido vencer".

Otra importante viajera cubana a París fue la poetisa, traductora de D'Annunzio y de Lamartine, y amiga de Casal, Aurelia Castillo de González, camagüeyana nacida en 1842, ciudad en la que murió con la provecta edad, sobre todo para la época, de casi ochenta años. Aurelia Castillo realizó un largo viaje por Europa entre 1889 y 1890. Desde Europa, enviaba pequeñas crónicas en forma de cartas al diario habanero *El País*. De la reunión de estas cartas, surgió al parecer un bonito libro (he empleado la frase "al parecer un bonito libro" con toda conciencia) el hoy casi olvidado *Un paseo por Europa*, y que —no tengo otro remedio que confesarlo— solo conozco por referencias y por las citas de él en otros autores. Es un libro prácticamente inencontrable, que solo se halla en muy contadas bibliotecas. La poetisa llegó a París durante los festejos de la Exposición Universal de 1889. A diferencia de Maupassant, a Aurelia Castillo le fascinó la torre Eiffel, que para ella con toda probabilidad debió simbolizar un triunfo de la ingeniería, un punto irradiante del que se desplegaba toda la ciudad. Los que en su época comentaron su libro, y aquellos, muy pocos críticos actuales que lo citan, hablan de cómo la poetisa casi omite los pormenores de su viaje hasta París, para concentrarse en la imagen de la torre que observa desde el tren. Una torre que, por otra parte, a pesar de estar recién inaugurada es ya, como dice la autora, un monumento "que conoce todo el mundo". El ascenso a la torre la hace escribir:

> [...] desde el tercer piso dirigimos a ustedes una tarjeta postal, a imitación de los centenares de visitantes que hacían lo mismo, queriendo cada cual enviar a los amados ausentes un reflejo a lo menos de la gozosa impresión que allí se experimenta, como si no cabiéndole esta dentro del pecho, le buscase lejana expresión.

De cualquier modo, si hay algo que nos queda claro a través de las lecturas de segunda mano es que el París de Aurelia Castillo no es el París de Casal, o mejor dicho, el París con que sueña Casal, no es el París poseído, fascinante y perverso de los decadentes. Se diría que es un París amable, burgués, cotidiano, familiar, que pertenece al panorama habitual de la cultura, hasta el punto de que, como ha visto muy bien el profesor Jacinto Bombona (de quien he tomado las citas), para Castillo "la representación más fidedigna de la torre la logra un velo de novia".

[...] unos velos para desposadas —escribe Aurelia Castillo— que se extienden en forma de mantos de largas colas; cuadrillos casi impalpables con distintas alegorías. Uno de ellos representa la torre Eiffel y a ambos lados los retratos del eminente ingeniero y de Carnot, y es la única representación del monumento que me ha parecido exacta, porque ya dije al principio que es una construcción de encajes, y por tanto es el encaje lo que en telas, se presta más a su imitación.

París y la cultura francesa fueron un lugar de salvación no solo para personas, sino también para personajes. A París se iba por necesidad. Y aun cuando no se fuera, en la realidad, se iba con la imaginación, la cual puede ser más poderosa que la realidad. Personajes como un contemporáneo de Casal, Augusto de Armas, nacido en La Habana en 1863, huyó a París, se integró a la bohemia más decadente, y escribió poesía hasta su muerte, en la propia capital francesa, a la edad de veinticuatro años. O el abogado, escritor y crítico habanero, Enrique Piñeyro, quien se estableció definitivamente en París en 1882, y allí vivió hasta su muerte en 1911, y, lo más importante, allí escribió su famosa biografía sobre Juan Clemente Zenea. En París vivió el poeta camagüeyano Mariano Brull (1891-1956), y en París tradujo a Paul Valéry, *La jeune parque*. Según Valéry, que leía bien el castellano, *La joven parca*, de Brull, tenía pasajes más brillantes en castellano que en francés. Brull también escribió en francés. Y otro creador más, Lydia Cabrera, viajó a París en 1927, y estudió en l'École du Louvre de la que se graduó tres años más tarde. Allí concibió sus soberbios cuentos negros, que aparecieron publicados en *Cahiers du Sud*, *Revue de Paris*, y *Les Nouvelles Littéraires*, traducidos al francés, hasta que la editorial Gallimard los publicó en 1936, bajo el nombre de *Contes nègres de Cuba*, y solo en 1940, se publicaron en español bajo el título de *Cuentos negros de Cuba*. En París se refugió José María, el protagonista de *El ángel de Sodoma*, la novela casi desconocida de Alfonso Hernández Catá. Es fascinante la descripción de París que hace el narrador en la novela de Hernández Catá, tan delicada como su propio personaje:

"París, nombre-promesa para cualquier buscador de alcaloide de vida, lo acogió con esa sonrisa de fin de otoño hecha de grises y de cielos bajos. De la estación al hotel reflejáronse en sus ojos las imágenes desconocidas y empero familiares del Sena, de la Catedral de las dos torres truncas, de la torre Eiffel, del jardín ilustre de las Tullerías".

Como dije al inicio, hay también para nosotros un París que no es París. El París de nuestros sueños. El de la imaginación y la añoranza, y mucho más extraordinario, el París de la lectura, de la literatura. Siempre he defendido que la lectura también es un modo de vivir. De modo que no por gusto he dejado para el final el París imaginario. Una ciudad, o mejor dicho, una actitud que entiendo bien, extraordinariamente bien, porque yo siempre tuve dos sueños: Venecia y París. A la primera, la visité por primera vez con treinta y cinco años. A la segunda, sin embargo, llegué por primera vez con cuarenta y seis. A ambas llegué solo, sin nadie con quien compartir la emoción, en un aprendizaje de soledad de los más intensos que se pueda tener. En otras palabras, que ni la una ni la otra ya fueron nunca para mí ciudades de verdad, porque, al visitarlas después de evocarlas tanto, ya la realidad nada podía con la potencia de la imaginación juvenil. Por más que estuviera en Venecia o en París, ya nada, ni la más contundente realidad borraría la aún más contundente sustancia de un libro de Ruskin, de una novela de Thomas Mann, o de las novelas de Balzac que devoraba (casi literalmente) en mi juventud, o el inmenso aprendizaje de la gran novela de Proust, que enseña tanto de la vida como la propia vida. O sea, que alcanzo a comprender bien a Julián del Casal y a José Lezama Lima, los dos viajeros inmóviles, los cubanos que nunca llegaron a París. Tengo la impresión de que Casal no llegó a París, no porque no pudo, sino porque no quiso. Por aquello que dijo en tantas ocasiones: "No quiero ir porque entonces no querría volver". Y en cuanto a Lezama, se sabe lo que opinaba de los viajes. Lezama decía que

hay viajes más espléndidos: los que un hombre puede hacer por los corredores de su casa, yéndose del dormitorio al baño, desfilando entre parques y librerías. ¿Para qué tomar en cuenta los medios de transporte? Pienso en los aviones, donde los viajeros caminan solo de proa a popa: eso no es viajar. El viaje es apenas un movimiento de la imaginación. El viaje es reconocer, reconocerse, es la pérdida de la niñez y la admisión de la madurez. Goethe y Proust, esos hombres de inmensa diversidad, no viajaron casi nunca. La imago era su navío.

Y se sabe que Lezama recibió una invitación de la UNESCO para ir a París y que su pretexto para no aceptar la invitación fue que, al consultar el retrato de su madre muerta, su madre le había dicho que no fuera. En cualquier caso, ambos, Casal y Lezama, tenían su pequeño París personal. En "La última ilusión", una crónica aparecida en *La Habana Elegante* el 29 de enero de 1893, Casal escribió con verdadera profesión de fe por su estética decadente:

Hay en París dos ciudades, la una execrable y la otra fascinadora para mí. Yo aborrezco el París célebre, rico, sano, burgués y universal; el París que celebra anualmente el 14 de julio; el París que se exhibe en la gran Ópera, en los martes de la Comedia Francesa o en las avenidas del Bosque de Bolonia; el París que veranea en las playas de moda e inverna en Niza o en Cannes; el París que acude a la academia en los días de grandes solemnidades; el París que lee el Fígaro o la revista de Ambos Mundos [...] el París de Gambetta y de Thiers; el París que se extasía con Coquelin y se extasía con las canciones de Paulus [...] el París de las exposiciones universales; el París orgulloso de la torre Eiffel [...] Yo adoro, en cambio, el París raro exótico, exótico, delicado, sensitivo, brillante y artificial; el París que busca sensaciones extrañas en el éter, la morfina y el haschich; el París de las mujeres de labios pintados y las cabelleras teñidas, el París de las heroínas adorablemente perversas de Catulle Mendès y René Maizeroy; el París que da un baile rosado, en el palacio de Lady Caithnes, al espíritu de María Estuardo; el

París teósofo, mago, satánico y ocultista; el París que visita en los hospitales al poeta Paul Verlaine, el París que erige estatuas a Baudelaire y a Barbey D'Aurevilly; el París que hizo la noche en el cerebro de Guy de Maupassant, el París que sueña ante los cuadros de Gustave Moreau y de Puvis de Chavanne [...] el París que resucita al rey Luis II de Baviera en la persona de Roberto de Montesquieu-Fezensac; el París que comprende a Huysmans e inspira las crónicas de Jean Lorrain; el París que se embriaga con la poesía de Leconte de Lisle y de Stephen Mallarmé [...] el París, por último que no conocen los extranjeros y de cuya existencia no se dan cuenta tal vez.

En cuanto a Lezama Lima, una gran parte de su novela póstuma, *Oppiano Licario*, se desarrolla en un París que el autor no conoció, y analiza a uno de sus pintores célebres, Henri Rousseau (1844-1910), conocido como el Aduanero, un pintor cuyos originales Lezama nunca vio. Escribió Lezama:

Fronesis había encontrado un apartamento en el centro de la Isla de Francia. Le gustaba, cuando salía de su casa, ir recorriendo las distintas capas concéntricas del crecimiento de la ciudad. Mientras caminaba a la caída de la tarde, volvía siempre a su recuerdo la frase de Gerard de Nerval: el blasón es la clave de la historia de Francia. La suma pizarrosa de los techos, los clavos en las puertas, el olor de un asado desprendido por alguna ventana entreabierta, lo llevaban, a través de sus sentidos, a la comprobación de los fundamentos de la frase de Nerval. Mientras atravesaba aquel laberinto, parecía que al repetir mentalmente el blasón es..., el blasón es..., volviera a la luz sucesiva.

[...]

Durante varios días, el café de la esquina de la casa de Fronesis en París estaba apagado. Sus parroquianos miedosos ni se asomaban por las vidrieras, ni preguntaban a los dueños por la suerte del cafetín. En una barriada parisina, el cierre de un café se extiende como un duelo silencioso.

Comencé estas palabras con el recuerdo de un gran peruano. Ahora quisiera terminarlas con un cubano de origen portugués, un cubano desaparecido, cuyo destino desconocemos. Uno más de los desaparecidos que ha habido a lo largo de nuestra historia. Una historia, sobre todo en los últimos años, de nombres idos a bolina, registrados en el viento, en las estrellas. Quisiera finalizar con alguien que para los cubanos ha simbolizado siempre nuestra perenne ansia de ascensión y de huida. Me refiero a un humilde fabricante de toldos llamado Matías Pérez. Matías Pérez, que vivió en La Habana del siglo XIX, y que era toldero, es decir, se dedicaba a colocar los toldos que iban de una acera a otra en las calles estrechas de la ciudad, que se dedicaba a la improbable tarea de mitigar el sol de la isla, la crueldad de la luz de la isla y la furia de las lluvias, tenía, en sus ratos libres, el placer de consagrarse al estudio de la aerodinámica y de los misterios de las levedades del viento. Un día de junio de 1856, en el Campo de Marte, Matías Pérez subió a un globo de su creación. Logró elevarse a las alturas y en ellas desapareció para siempre. Nos dejó una frase rotunda, de la que no podemos prescindir: "Voló como Matías Pérez". Y nos dejó, por supuesto, un anhelo del que tampoco podemos prescindir: el de la evasión hacia lo remoto, la impaciencia por abandonar la isla (ya que, lo sabemos muy bien, isla al fin, no permite los caminos de la tierra), nos legó la nostalgia, la aspiración por la escapatoria y la desaparición. Es por eso que quiero poner fin a estas palabras con el humilde toldero Matías Pérez. Por su anhelo, claro está, y también porque tuvo el buen gusto de hacer que aquel aeróstato por el que se perdió entre los espacios infinitos de las nubes y los sueños, se nombrara como una ciudad. Amigos míos, que habéis tenido tanta paciencia esta tarde, es hora de saber que se llamaba *París* el globo en el que Matías Pérez desapareció para siempre.

El surtidor inmóvil de un encantamiento

Según se cuenta, antes de aparecer en libro, ya *Paradiso*, la novela de José Lezama Lima, venía precedida por las carcajadas de los linotipistas. Los comentarios de quienes trabajaban con los plomos, llegaban a lo que en Cuba se conocía entonces, con frase de reminiscencias pitagóricas, como "las altas esferas". Estas, sin embargo, no hicieron demasiado caso. "Una locura más del gordo", se dice que dijo Nicolás Guillén mientras daba de comer a los gallos de su jardín. Al fin y al cabo, ¿qué preocupación podía provocar un mamotreto de quinientas páginas, que, para colmo, nadie entendería? Aquellos pocos que habían leído los capítulos publicados en *Orígenes* sonreían con indulgencia; aseguraban que nada había que temer. Justo es decir que, en aquellos años, y hasta muchos años después que llegan quizá a nuestros días, el "temor" a un libro es semejante al temor a un disparo, a muchos disparos, a una sedición. Si algo no se le puede negar nunca a la llamada Revolución cubana, como a cualquier totalitarismo, ha sido su fe inquebrantable en el poder de la literatura.

Cuando *Paradiso* apareció por fin publicada se produjo el pequeño escándalo. No era exactamente lo que la nomenclatura podría haber llamado un libro "contrarrevolucionario" (aunque desde el punto de vista de la nomenclatura, cualquier libro, el más insustancial, podía tener atributos "contrarrevoluciona-rios"); tampoco era la locura inocua que habían imaginado. Una locura, en efecto, solo que una locura extraordinariamente bri-llante, cuerda y efectiva. Un libro excesivo y grandioso que era, al mismo tiempo, la historia de una familia, un diálogo sobre la homosexualidad, un estudio sobre la imagen poética, que pre-tendía completar lo que el propio autor calificaba como "sistema poético". Como intentaba abarcarlo todo, *Paradiso* entraba en la categoría de lo que Vargas Llosa ha llamado "las tentativas im-posibles". Un libro con tales resonancias no podía ser aceptado. Insisto: para ser "contrarrevolucionario" en el sentido que le ha dado siempre el poder cubano a la palabra, basta con que un libro sea excelente. Por un lado, como sabemos, *Paradiso* cons-tituía un desafiante ejercicio de libertad; por otro, se situaba de pronto en el centro de la literatura cubana.

Como su autor poseía, sin duda alguna, la "condición irradian-te", gran parte de la cultura cubana del siglo XX tiene que ver con su tozudez, con su seguro paso de mulo en el abismo. Los escri-tores cubanos, durante la primera mitad del siglo, vivían, es decir escribían en medio de la indiferencia. Se hallaban en el centro de la vida cultural cubana sin estarlo realmente. Vivían en los márgenes. Y cuando no se les premiaba con la indiferencia, se les atendía con un irónico "no entiendo". Buen ejemplo: la po-lémica que en 1949 inicia Jorge Mañach con el propio Lezama Lima. Luego, en la segunda mitad del siglo, después de 1959, la indiferencia se trueca por una observación minuciosa. "Dentro de la Revolución todo; contra la revolución nada". Frase terrible, de resonancias mussolinianas, que parecen al mismo tiempo pa-rodias de Saint-Just.

Paradiso apareció como toda una extensa obra coherente, sis-temática, que resumía la obra de una vida: cinco libros de poesía y cinco de ensayos, además de una inmensa y fatigosa tarea de editor de revistas memorables. *Paradiso* fue la solución imantada de cada uno de aquellos fragmentos.

Una tarde habanera oscura y húmeda (recuerdo que llovía fer-vorosamente), María Luisa Bautista, viuda de Lezama, me contó la incertidumbre del poeta durante aquellos días y la llegada de la carta salvadora. El cartero entregó un gran sobre de Manila que llegaba con remitente de París. Acompañándolo con una carta, Julio Cortázar enviaba su ensayo "Para llegar a Lezama Lima", que un año más tarde integrara el volumen *La vuelta al día en ochenta mundos*. El propio Lezama, en carta a su hermana Eloísa, narra así la llegada del texto:

> El día del santo de mamá fue para mí, como para nosotros todos, un día de evocación y tristeza. Yo desde el día anterior me había sentido con ese decaimiento que nos gana en presencia de lo irremediable. Pero cuando llegó el día, creo que fue ella la que propició ese hecho, en que yo me sentía totalmente arrasado, llegó por la tarde un magnífico ensayo de Julio Cortázar, mi gran amigo, sobre *Paradiso* [...] Cortázar ha sido un gran amigo mío y de mi obra. Ha mostrado por esta una curiosidad, una comprensión verdaderamente excepcionales. El ensayo es, sin duda alguna, notable y revela una gran intuición de lo que yo he hecho. Llega con gran oportunidad, pues Cortázar es hoy en día uno de los mejores escritores latinoamericanos. Es muy leído por un público inteligente. Figúrate, aquí el Paradiso cayó como un batacazo, pues yo creo que no había la menor adecuación para recibir una obra de esa envergadura, modestia aparte. Y de pronto, el gran ensayo de Cortázar ha sido como un rayo que ha aclarado la visión de algunos y puesto furiosos a los más recalcitrantes envidiosos.

Y en otra carta agrega: *Paradiso* "despertó y sigue despertando un ambiente muy polémico". Y finaliza esa carta con una tremenda verdad envuelta en un arranque de orgullo: "Mi única respuesta es seguir trabajando. Los venzo porque son unos vagos".

Más que un ensayo, el texto de Cortázar se convertía en un gran elogio que pretendía "situar" a Lezama en el mundo literario hispanoamericano, en pleno apogeo de lo que se dio en llamar el *Boom* de la literatura latinoamericana. Cortázar era uno de sus conspicuos representantes. "Amigo de Cuba", como habría dicho algunas de las señoras con aspecto pudibundo que se movían por los pasillos silenciosos y monacales de la Casa de las Américas. El amigo extranjero de Cuba salía, pues, en defensa del cubano en peligro. "No soy un crítico —escribe apenas en el comienzo—; algún día, que sospecho lejano, esta suma prodigiosa encontrará su Maurice Blanchot, porque de esa raza deberá ser el hombre que se adentre en su larvario fabuloso". Y de inmediato, se extiende Cortázar en una defensa de lo "hermético", una defensa por negación. Lezama no es "esto", parece decir. Lezama no es apolíneo, como Octavio Paz o Jorge Luis Borges. Lezama no es lectura para quienes optan por la máxima cosecha con el mínimo de riesgo. Esta novela, aclara, no soportaría al lector especializado que "se resiste, a veces de manera inconsciente, a toda obra que proponga aguas mezcladas, novelas que entran en el poema o metafísicas que nacen con el codo apoyado en un mostrador de bar o en una almohada de quehacer amoroso". "*Paradiso* —escribe— novela que es también un tratado hermético, una poética y la poesía que de ella resulta, encontrará dificultosamente sus lectores". Una vez establecida la dificultad de la lectura de *Paradiso*, pasa el argentino al "adanismo" lezamiano, a "las incorrecciones formales que abundan en su prosa y que, por contraste con la sutileza y hondura del contenido, suscitan en el lector superficialmente refinado un movimiento de escándalo e impaciencia que casi nunca es capaz de superar". Pero ese camino que ha tomado Cortázar para enfocar la obra de Lezama solo puede conducir a la ingenuidad. "El barroquismo de complejas raíces —escribe— que va dando en nuestra América productos tan disímiles y tan hermanos a la vez como la expresión de Vallejo, Neruda, Asturias y Carpentier (no hagamos cuestión de géneros, sino de fondo), en el caso especialísimo de Lezama, se tiñe de un aura para la que sólo encuentro una palabra aproximadora: ingenuidad". Dicho lo cual, ya solo queda establecer la comparación inevitable, el justo lado de este escritor cubano resultado inevitable del "subdesarrollo": impetuoso, grandioso, pantagruélico y gozosamente irresponsable. El lado aduanero Rousseau. Resulta simpático y hasta conmovedor que Cortázar adopte un tono que se aproxima al del perdonavidas que pretende atacar. La amable ironía, la sonrisa del argentino-francés-culto se nota cuando destaca las cursilerías del señor Lezama, a pesar de que al instante confiese que solo lo incomodan en la medida en que puede molestarlo una mosca en un Picasso, o el maullido de su gato durante una audición de Xenaquis. Desde su posición de dómine, amonesta a los dómines que no pasan por alto las múltiples incorrecciones de *Paradiso*. Eso, no obstante, no es lo que importa. Lezama le agradeció siempre su intercesión. La visibilidad de Cortázar en aquellos años del *boom*, entre falsarios y acertados, ayudaron sin duda a que *Paradiso* no fuera olvidada, como tantos otros libros valiosos.

La comparación entre Henri Rousseau, *el Aduanero*, y José Lezama Lima, resulta sumamente tentadora. Con poca imaginación, y pasando por alto lo infructuoso de cualquier paralelismo, se podría encontrar entre ambos importantes coincidencias. Los dos habían sido oscuros funcionarios: el primero, empleado de aduanas; el segundo, abogado de prisiones. Los dos tenían una extraordinaria fe en su obra. Trabajaban con una alegría que no perdía su vitalidad. Y es que vivían en su imaginación con mayor fuerza que en la realidad. Rousseau pintaba México y la India con la certeza de quien sabe que no hace falta el viaje. Lezama hablaba de París con la seguridad de quien conoce cada calle, cada palacio, cada piedra. El aduanero y el abogado, que en rigor no eran ni lo uno ni lo otro, estaban por encima de las burlas que su obra pudiera suscitar. Trabajaban impertérritos, de espaldas a lo que estuviera al uso o no, de las modas y de las técnicas habituales. Crearon mundos con sus propias leyes y no se atuvieron a las supuestas leyes de su creación. Se atenían a lo que les importaba. Conocían la máxima de Cicerón: "El arquero debe hacer todo lo posible por dar en el blanco, pero en ese acto de hacer todo lo posible por dar en el blanco consiste el verdadero blanco". Frase que Lezama, contrariamente a su hábito, logró sintetizar: "Lo importante es el flechazo, no el blanco".

Como se ha visto, Lezama dejó constancia de su agradecimiento a Julio Cortázar. Sin duda alguna al cubano le pareció hermoso que se lo comparara con aquel pintor extraordinario de *Noche de carnaval, Los jugadores de rugby*. No estaba dispuesto a aceptar, eso sí, que semejante pintor, y por extensión él mismo (un poeta de su grandeza), pudieran ser catalogados de *naïves*. Se tomó su tiempo para aclarar el malentendido.

Como casi todos los escritores cubanos de principios del siglo xx (salvo quizá Lino Novás Calvo) Lezama era un escritor de estirpe modernista, para quien Francia, más que una nación era lo que Octavio Paz llamó "el centro de una estética". Venía además de otro linaje muy especial, el de Julián del Casal, el del viajero inmóvil, el que sigue los pasos de Des Eissentes, que cuando quiere ir a Londres se va a una taberna de París. Ni Casal ni Lezama necesitan siquiera una taberna. Nada, nada necesitan para estar en otro sitio. "Hay viajes más espléndidos —dijo Lezama—: los que un hombre puede intentar por los corredores de su casa, yéndose del dormitorio al baño, desfilando entre parques y librerías". ¿Qué importa el París verdadero si tenemos el París que imaginamos? La fantasía posee una indiscutible realidad. Casal y Lezama tenían su París personal.

Lezama Lima dice (y solo por poner un ejemplo) en una página de *Tratados en La Habana*:

> En un centro que entre nosotros testimonia la universalidad de la cultura francesa, se evoca la ciudad de París. Ciudad incesante en la proliferación e incesante en mostrar ante la secularidad el más perdurable de los sellos. Un conocedor de esa ciudad, evitaría el transcurso inmóvil de su diseño, sino por el contrario, al levantar la más invisible de las piedras mostraría ahí otro París rodante, modernista, medieval, revisador inquieto de sus más perdurables leyes y cánones. Allí un pensamiento se hace pasión, la Ley juega y se hace voluptuosa como la amistad, un símbolo puede ser la criada de Proust. Los libros más viejos se recuestan en la margen de un río, como para dictar la lección que se

hace sabiduría frente al devenir. Donde todo saber se agita y retorna, como si fuese un folletín de agolpada acción, y donde el folletín adquiere eternidad, como si toda acción tuviese una marcha hacia categorías y palpitantes ecuaciones. Su producto de cultura parece abandonarse siempre a un residuo añadido por las propias decisiones y las anécdotas aclaradoras. Ese residuo, más aún que en las fijezas de las escrituras y testimonios, se incorpora por la misma universalidad de su onda, al propio vivir más diferenciado en signos intransferibles y peculiares. Ese producto y ese residuo tienen, pudiéramos decir, una gran capacidad amistosa. Llega, extiende su mano, y pasea, sonriéndole los humores con la más tumultuosa existencia, queda de nuevo una impulsión, una arrogancia hasta el final, la amigable invitación para que toda vida ocupe su destino, viva la más ardua tensión de su arco dentro de sus alegres posibilidades. "Conozco a aquel, decía Pascal, en quien he creído". Todo producto de esa cultura parece empaparse de esa frase, muestra tanto el conocimiento de su creencia que palpita y se hace conocimiento, vehementes aventuras con los arquetipos como con el recuerdo de un perfume interpretado en un cuerpo de gloria y de misterio.

Dueño de la tradición casaliana, Lezama opina sobre la pintura de Zurbarán, de Matisse, de Picasso, del Bosco, sin haber visto jamás un original de alguno de ellos. No lo necesita. Semejante pormenor no viene al caso. Existe otro modo de ver, otra manera de entender que nada tiene que ver con el rigor académico o con la severidad de la erudición. Algo que está asociado tal vez a la reminiscencia platónica. Como Lezama decía citando a Nicolás de Cusa: "La escala para llegar a Dios, lo máximo, se extiende incomprensiblemente". Si se tiene una conciencia de Dios, ¿cómo no se va a tener conciencia de haber visto que no se ha visto? En definitiva, y esto es una sospecha personal, cuando Lezama, poeta al fin, intenta explicar a otro poeta o algún pintor, está, de algún modo, explicándose a sí mismo.

Así es como Lezama Lima llega a *su* París y a *su* Henri Rousseau en la novela póstuma e inconclusa *Oppiano Licario*. Con la que pretendía añadir, a *Paradiso*, "algo muy importante que ha sucedido en la literatura cubana", "un primer piso para que todo quede resuelto y aclarado".

Oppiano Licario no puede abrir mejor: con una puerta abierta. Resumo lo irresumible con unas líneas toscas que permitirán llegar a París y al Aduanero. La familia del "alzado" (Clara, José Ramiro, Palmiro) es víctima de los afines a España. José Ramiro es asesinado. Palmiro huye. Años después, casado con Delfina, Palmiro observa por la ventana el hermoso cuerpo desnudo de Ricardo Fronesis. Lo agobia el erotismo que ese cuerpo le provoca. Cuando Fronesis apaga la luz de la habitación, Palmiro siente el odio que le aviva ese deseo y esa oscuridad repentina. Armado con un cuchillo, se dispone a asesinar a ese joven, Fronesis, cuyo apellido es lo contrario de *hybris*. El joven hermoso, sin embargo, ha dejado una almohada en su lugar. Fronesis, sin saberlo, se salva de la muerte. Y viaja a París.

Ricardo Fronesis se dirige al estudio del amigo pintor Luis Champolión, con algo de andrógino primordial. Allí encuentra a la también pintora Margaret Mc Learn. Ambos beben; conversan y beben. La conversación no cae nunca en la impotencia coloquial. El diálogo posee ese tono platónico, de un Platón pasado por la ironía y por el brillo momentáneo de lo poético. El diálogo es tan serio como sarcástico. Champolión, dice el narrador, que bebía un escocés con hielo, era "un poseso, pero tan uniformemente que la descarga energética de lo demoníaco se presentaba al tacto de los demás, reducida al mínimo, pero la energía se repartía a él por una inmensa alfombra que volaba, por la carnosidad de un pulpo, que se arañaba al restregarse por las cavernas submarinas". Cuando Margaret, que bebe cerveza y está entregada al estudio de los símbolos gnósticos alejandrinos, cae rendida por los efectos del alcohol, Champolión se vuelve hacia Fronesis exclama: "Dejémosla que duerma y volvamos a lo nuestro, a nuestros corderitos, blancos de espuma. Me han dicho que has estado estudiando al Aduanero Rousseau". Así, sin más, no es necesario más, asoma el Aduanero en la novela póstuma de José Lezama Lima. Había que hacerlo aparecer y ahí está, sin más preámbulo. Toda novela impone unas maneras, un cierto modo de respirar y comprender la realidad. Toda novela exige un compromiso al lector, de mayor o menor heroísmo. Al lector de Lezama no pueden sorprenderle ni las apariciones ni las desapariciones. En su caso, la sorpresa llega por otro lado, con otros avisos y otras consecuencias. Así como al Aduanero ignoraba los límites entre lícito e ilícito, así como la perspectiva lo tiene sin cuidado, ni se siente en la obligación de hacer "real" su propia "realidad" (puesto que ella es "real" en sí misma, y perdonen la tautología) así Lezama se burla de las "leyes" de la narrativa. O mejor dicho, crea sus leyes. Y su lector no espera otra cosa que la frase: hablemos ahora del Aduanero Rousseau. Y de inmediato, bebiendo del escocés con hielo, Champolión lanza la pregunta necesaria para abrir las compuertas de la pasión verbal de Fronesis: "¿qué crees tú de esa manera de conocimiento del Aduanero?". Por favor, obsérvese bien la pregunta. Se parte del presupuesto de que hay una manera de conocimiento del Aduanero. Y la respuesta de Fronesis, que a diferencia de Lezama sí ha visto originales de Rousseau, se compone de varias páginas. "El arte del aduanero brota del surtidor inmóvil de un encantamiento", comienza diciendo. La frase poética parece rigurosamente justa. Se repasa *Noche de carnaval*, *Paisaje con hilandera y bovinos*, *Encuentro en el bosque*, *Flores de poeta*, *Muchacha con cabras*, incluso *Huracán en el mar*, y se descubre una inmovilidad encantada que nos encanta. No hay movimiento en estos cuadros. No hay brisa. Los árboles permanecen quietos, los trajes de los personajes no están agitados. Los personajes mismos poseen una "simbólica hierática", nada los perturba. Incluso los jugadores de rugby no parecen jugar, o quizá juegan detenidos en una rara eternidad, con sus bigotes como sonrisas fijas. Explica Fronesis que la afición de Rousseau por la flauta "parece convertirlo en el encantador de la familia, de las hojas, de la amistad, de las casas de su pueblo que, al alejarlas, parecen castillos de libros de horas, de iglesias que, al acercarlas a un primer plano quisieran dejarse acariciar con la mano". ¿Es la flauta del dios Pan, la flauta de Euterpe, la flauta del personaje de los hermanos Grimm? Y de inmediato va al centro de la polémica, a la explicación de su sabiduría que nada tiene que ver con lo primitivo o lo ingenuo.

Rousseau —dice Fronesis— sabe lo que tiene que saber, sabe lo necesario para su salvación, no con el soplo de Marsias o de Pan bicorne, cuya zampoña lleva el aire agudizado por los infiernos descencionales, sino la flauta de prolongaciones horizontales, el dios de la justicia alegre y de la suprema justicia poética. Como en los crecimientos mágicos de ciertos pequeños árboles que se regalan en la Persia o en Bagdad, en un tiempo gozoso para la mirada, la raíz crece transparentada como el cristal, el diminuto tronco obedece las órdenes acumuladas como una aguja, después las hojas se van transformando en la sucesión de los instantes en el ramaje, donde una cochinilla se sumerge en la indistinción de la escarcha, luego la hoja que se abre como una mano y rueda un dátil. Prodigio del instante el crecimiento mágico y prodigio de un instante que se hace secularidad. Pues sus casitas en el tierno invierno de la amistad francesa perduran como la pequeña iglesia de domingo, con sus ágiles novios y sus importancias de entintados bigotazos.

Y, como si Fronesis explicando al Aduanero, explicara además a Lezama, recalca:

Este bretón vive un saludable hedonismo de burgués provinciano en el barrio de la Plaisance. Cuando se burlan de él no hace esfuerzos por parecer grave y agresivo, sino por el contrario, cree ver en esos guiños la apreciación de su fuerza y el anticipo ingenuo de la corona y el panteón de la inmortalidad, en los cuales cree, como también cree en los viajes, el vino de la amistad, los recuerdos del colegio y la fiesta de bodas. Tiene que soportar que aún después de muerto Apollinaire, que ha sido el que más lo ha querido, lo llame, cierto que con mucho cariño, "Herodías sentimental", "anciano suntuoso y pueril que el amor arrastró hacia los confines del intelectualismo"...

Pero no todo en el Aduanero es aceptación de la burla. Fronesis cuenta el improbable enfrentamiento con Picasso, al que le lanza una frase lapidaria: "Nosotros somos los dos grandes pintores vivientes, usted en la manera egipcia y yo en la manera moderna". "Con todas esas lecciones alegres y con todos esos laberintos resueltos, el Aduanero podía considerarse con justicia un excelente representante de la manera moderna, candorosa, alucinada, fuerte frente a las potencias infernales. Picasso no debió asombrarse ante esa frase del Aduanero, sino mostrar su aquiescencia por esa solemne penetración en su destino". Y llegado a este punto, interviene Champolión, tocando el punto central: "Si fue o no un primitivo, es lo cierto que lo que conoce golpea en lo que desconoce, pero también lo que desconoce reacciona sobre lo que conoce, signo de todo artista poderoso". Palabras que de algún modo armonizan con aquellas de Tristan Tzara, diez años antes de la publicación de *Oppiano Licario*, en su "Papel del tiempo y del espacio en la obra del Aduanero Rousseau":

Nada es gratuito en la pintura de Rousseau [...] Hoy no es necesario apelar a la curiosidad de sus telas para advertir con qué curiosidad, en el propio lirismo y en la apasionada dedicación a las ejecuciones, Rousseau había sabido tomar en consideración, uno tras otro, los temas de la existencia, fundamentales para él —amor, libertad, belleza, ternura— frente a las fuerzas destructoras —guerra, y crueldad de la naturaleza [...] Precisamente por haber querido expresar lo que hay de más grande en el hombre, Rousseau se coloca entre los mayores. Sin vacilaciones, con la seguridad dada solo por la pureza y el ímpetu de la generosidad, se ha lanzado a un universo de sentimientos cuyas resonancias todavía no han cesado de conmovernos y encantarnos. Por lo demás, ¿qué importa el aparente anacronismo de su visión, si se le compara con el intelectualismo tan a menudo árido? Las lecciones de amor que nos da asumen un carácter universal, ya que —volviendo a las tradiciones antiguas— el lenguaje pictórico de Rousseau conduce claramente al corazón del hombre.

Cuanto Lezama ha revelado sobre Henri Rousseau revela mucho sobre sí mismo. No se me mal interprete, no quiero decir que Lezama iluminara a Rousseau para iluminarse, solo intento explicar que explicándolo, y por añadidura, se explicaba. Sin inocencia alguna, más bien con ironía, casi con sarcasmo, tenía que estar muy divertido para escribir a mano, sobre una tabla, las siguientes palabras:

Por candorosa que pueda haber sido la imaginación representativa del Aduanero, es indudable que al mostrar a Apollinaire con una pluma de ganso en una mano y un rollo de papeles en la otra, al mostrar a Marie Laurencin como un espectro ceñido de verticales listones lilas, señalando con el dedo alzado la gloria del Empíreo, dejaba bien impresa la marca de que era un amigo malicioso que quería satisfacer la ingenuidad que aquellos dos artistas esperaban de él.

Si alguna inocencia mostraban, el pintor de la Bretaña y el escritor habanero, tenía que ver con la fe que ambos tenían en su obra. Repasando la pintura de Rousseau, leyendo las páginas de Lezama, se encuentran siempre muchas resonancias y posibilidades, pero sobre todo, un maravilloso júbilo de creación. Una sonrisa de certidumbre que nada logra perturbar. Artistas que logran trasmitir la fe. Un espacio donde la creación no es solo un espacio de vida o muerte, sino además de juego, de mucho juego y de mucho gozo. Y quizá sea justo recordar aquella frase de Marcel Proust, según la cual "el genio consiste en la potencia de reflexión y no la calidad intrínseca del espectáculo reflejado".

En los casos de Rousseau y Lezama esa calidad está asociada a la potencia de reflejar. De ver. Por encima de todo y de todos, ver "otra cosa". Alguien que nadie más logró ver. Se hace preciso, pues, recordar también —las razones son misteriosas— la pregunta de Góngora en "Al nacimiento de Cristo nuestro señor". Pregunta que Lezama retoma en su ensayo "Sierpe de don Luis de Góngora":

"¿Quién oyó?

¿Quién oyó?

¿Quién ha visto lo que yo?"

Y el cubano, que sabe lo que dice, responde de inmediato: "No, nadie, nadie lo ha visto, ni permanecido tanto tiempo en el haz de la luminosidad".

Otras confidencias

Cuando mis ojos se acostumbraron a la oscuridad,
distinguí al fondo una lucecita expirante.

VIGILIO PIÑERA,
"Salón Paraíso"

La pasión fría de Virgilio Piñera

Esta será la prueba
más correcta de que el móvil último que
moviera a su autor fue el de una invención
estrictamente literaria, producto
de una enfermedad que se llama literatura,
como la de la seda del gusano o la de la
perla de la ostra.

VIRGILIO PIÑERA,
"El secreto de Kafka"

Una mañana de julio de 1979, temprano, hacia las diez, Virgilio Piñera y yo llegamos a la quinta de los condes de Santovenia, convertida en asilo de ancianos desde hacía casi cien años. Era uno de esos días de julio, ardientes, brillantes, que la mayoría suele llamar "hermosos" y cuya belleza radica en una luz desesperante, que disuelve la realidad de las calles, y en un calor húmedo, más inaguantable todavía que la luz. Nos atendieron religiosas de hábito blanco, probablemente de la congregación de las Hermanas de los Desamparados, con esa cortesía glacial que tienen siempre las religiosas (aun las del trópico), y nos hicieron pasar a un patio grande donde se conservaba a duras penas la paz, la solemnidad caprichosa y la absurda y porfiada elegancia de otros tiempos, que ya ninguna relación guardaba con el largo y sucio presente de la Calzada del Cerro. Hasta ese instante no supe qué hacíamos allí. Fiel a su afán de convertirlo todo en misterio y literatura, Virgilio no me había revelado la razón de aquel viaje. Solo cuando deslizó un nombre a la portera, supe la razón que nos había llevado hasta allí. El Maestro, como le decíamos, iba movido por generosidad o por curiosidad, o por las dos cosas —que pueden ir perfectamente unidas—. Quería visitar a Gaspar de Santelices. El famoso actor, que había representado el Orestes de *Electra Garrigó* en 1948, la noche de su estreno, se encontraba recluido allí luego de un ictus cerebral. El patio del asilo se hallaba recorrido por monjas ágiles y ancianos inseguros. Algunos se acercaban a pedir algo, un cigarro, por ejemplo, de aquellos con filtro que fumaba Virgilio (luego de arrancar el filtro con displicencia). Otros venían dispuestos a contar su historia en caso de que les hubiéramos dado un mínimo pretexto. Otros más querían saber a quién veníamos a saludar. A pesar de que alguno, más astuto que los otros, reparó en alguna señal que lo llevó a deducir que veníamos al encuentro del actor, de Gaspar de Santelices. Recuerdo que lejos, a la sombra de una galería, había mesas donde se jugaba silenciosamente al dominó. Pocos minutos después, en silla de ruedas conducida por una monja, gesticulando y mostrando que, a pesar de todo, su voz seguía igual de potente (e imponente), vimos aparecer al actor que llegó declamando con nostalgia: "¡Ha venido a verme el más grande dramaturgo de Cuba, el gran Virgilio Piñera, y viene acompañado por un efebo!". A pesar de que habían nacido en el mismo año, en 1912, existía una diferencia notable entre dramaturgo y actor. Delgado, de pie, liviano, casi danzante, al primero se le veía divertido, haciendo gala de su humor cáustico y, sobre todo, de su traza inmortal; al segundo, en cambio, a pesar de lo teatral y enfático, se lo veía inmóvil, triste, melancólico en la silla de ruedas, como si hubiera comprendido que había llegado el momento de aprestarse para la muerte. A de Santelices se le veía efímero; a Piñera, eterno. En cuanto al diálogo, o más bien monólogo del actor, que duró alrededor de una hora, no pudo ser más piñeriano. Una extraña lógica hacía que junto a Piñera la realidad se comportara siempre piñerianamente. Después de explayarse sobre la evidente crueldad de las monjas, después de dar ejemplos concretos de la malévola disposición de las que llamaba "hijas de Sade", el actor pasó a explicarnos, con voz grave y lujo de detalles, cómo acudía cada mañana al servicio, de qué modo complicado llevaba a cabo sus deposiciones puesto que no disponía de la movilidad de sus piernas, así como el dificultoso y penoso ritual que, en su estado, constituía el uso del papel sanitario. Parecía un mimo en un escenario. Ante nuestros ojos, realizó movimientos de brazos, de manos, de torso, para demostrar cómo llevaba a cabo su higiénica labor. Una vez más la vida imitaba al arte. Se hubiera dicho que nos encontrábamos con el narrador de "Alegato contra la bañadera desempotrada" o con Don Benigno, aquel personaje de *Aire frío* que llega de Camagüey a patentar un nuevo modelo de inodoro. El resto de los ancianos y hasta las gélidas monjas de hábito blanco se detuvieron a observar el encuentro como lo que quizá era en realidad, un artificio, una rara escenificación, un hecho teatral. Más tarde, lejos del palacio convertido en asilo, otra vez entre el bullicio y el polvo zafio y pueblerino de la Calzada del Cerro, Virgilio alzó los ojos al cielo y pidió a la Reina de la Noche (siempre suplicaba con tono ampuloso que era, como se supondrá, satírico, a la Reina de la Noche) que lo librara de terminar en silla de ruedas, en un asilo de ancianos, con las monjas malvadas o sin ellas, explicando a quien quisiera escucharlo cómo debía limpiarse el culo cada mañana. Se volvió hacia mí y me dijo que, en caso de verlo en semejante situación, le pusiera veneno en el café. Lo cierto es que la Reina de la Noche lo libró de semejante ignominia. Murió pocos meses después, un jueves que tal vez debió ser como otro (en rigor, nunca sabremos si fue exactamente un jueves como otro), no sin haber dejado escrita y por revisar una escena de la que debía ser una pieza en dos actos, "¿Un pico o una pala?", mientras se preparaba para una partida de canasta, luego de la inevitable siesta de cada día.

Me parece un premio, una justa reparación de los dioses o de los no-dioses, de la divinidad (de la indivinidad), que alguien despierte de una siesta, se prepare para un juego de canasta, baje las escaleras de su casa, salga a la esquina de N y 23 donde se hacía la cola de la ruta 2, y una hora más tarde se encuentre muerto en el ático del Dr. Cavarruiz. Se podría creer que, después de tantos sinsabores, se alcanza una muerte perfecta. Ya que es inevitable, aspiremos a una muerte así. Eso no es morir sino "quedar encantado" —habría dicho Joao Guimaraes Rosa—. De manera que la Reina de la Noche lo salvó de algunos posibles ultrajes.

Lo libró, por ejemplo, de envejecer más allá de los sesenta y siete años, con todo lo que para un hombre tan vital podía traer consigo el envejecimiento. No conoció la postración, las ofensas y las humillaciones de la enfermedad. Para nosotros, sin embargo, sí resultó difícil creer en esa muerte, resignarnos a ella. Hubiéramos querido más, porque logró engañarnos y nos hizo creer que era eterno.

Al morir, tenía numerosos proyectos que no consistían únicamente en poner en orden un libro de poemas, dos de relatos y varias obras teatrales. Como he dicho, cuando Piñera murió el 18 de octubre de 1979, se hallaba enfrascado en una pieza teatral en dos actos cuyo título: "¿Un pico o una pala?" puede dar idea de sus obsesiones y de la densidad íntima que anima toda su obra. Su coherencia, como diría algún profesor. Quienes estábamos al tanto de la pieza teatral, quienes le habíamos escuchado leer algunas escenas, teníamos la certeza de que la obra de toda una vida se cerraría, de manera brillante y eficaz, con "¿Un pico o una pala?" Él no ocultaba su entusiasmo. Estaba poseído por esa euforia creativa que hace que cuando se termina la sesión de trabajo, se esté deseoso de la llegada del siguiente día para continuarlo. Decía sentirse libre. En ella combinaba el verso con la prosa, lo realista con los más maravillosos *deus ex machina*. Creo haber contado ya el argumento de esta obra, en cuyo pórtico llevaba como epígrafe los versos de Miguel Ángel para la alegoría de la Noche, en la tumba de los Medici:

> Dulce es dormir y aun ser de piedra dura.
> Mientras mal y vergüenza infunden miedo,
> No ver y no sentir es gran ventura.
> Por Dios, no me despiertes, habla quedo.

El argumento podría resumirse así: Juan y Pedro tienen veinte años y son hermanos gemelos. Juan es un jugador compulsivo; Pedro, un enfermo incurable. Ambos se casan con las también gemelas Marta y Mercedes e intentan combatir sus destinos. Cuando reconocen el fracaso de su batalla, luego de haber recibido la visita del Diablo, los hermanos acuerdan suicidarse el día que cumplen veinticinco años. Ante la muerte de sus hijos, los padres, María y José, deciden engendrar de nuevo. Habrá otra vez dos gemelos; los llamarán Juan y Pedro, como los muertos, en honor a los muertos. El diablo vuelve a intervenir, solo que ahora los roles se invierten y es Juan el que nace con una enfermedad incurable y Pedro el aquejado de ludopatía. El ciclo, pues, se reinicia y el segundo acto, y la obra misma, se cierra como concluyó el primer acto, con otro suicidio, el suicidio de los nuevos gemelos. Seis personajes atrapados en su destino, poseedores de una libertad, de una posibilidad de elección que conduce tercamente al mismo lugar; por más afán que se ponga en la búsqueda, solo se puede elegir lo que se elige. La gemela Marta insiste en un instante de la pieza: "Es preciso aceptar el hecho consumado". (Frase que, por cierto, se repite idéntica a lo largo de muchos textos de Piñera, como era de esperar en un hombre que declaraba su concepto de la vida como "puros hechos"). Se hace preciso, pues, ejercer la libertad para conseguir la misma conclusión inevitable.

Aparte de organizar lo que llamaba "papelería" (que no era tal —la palabra "papelería" posee un matiz de desorden y menudencia—, sino ocho excelentes libros inéditos), aparte de proponerse dejar así, como había escrito años antes, "la casa en orden antes de cerrar, por última vez, sus puertas", lo asaltaban numerosos personajes e historias. Algunos de esos personajes, algunas de esas historias las llegó incluso a esbozar, cuando no a escribir, con meticuloso cuidado. (Un malentendido que cabría disipar: el supuesto "repentismo" de Piñera. Si muchas de sus obras no probaran un plan minucioso, basta revisar las notas encontradas entre la "papelería", para revelar el trabajo que a veces tomaba en diseñar personajes y organizar estructuras. En ese sentido, recuerdo las páginas previas a la redacción de "El caso Baldomero", cinco o seis folios amarillos de papel de estraza escritos a mano, con letra de tinta apretada, en las que se organizaba el material narrativo y en las que se describía con verdadero cuidado a Baldomero, a Camacho, al chino Wong y al propio narrador en primera persona). En cualquier caso, la obstinación literaria de Piñera, ese tenaz sentido histórico, esa fusión entre carne y literatura, provocan un añadido de admiración, si se tiene en cuenta que se habla aquí de un escritor que no publicaba y no veía sus obras representadas, desde once años atrás; un hombre, en definitiva, que había sido borrado de la vida cultural cubana. Sospecho que esta misma situación de marginalidad (mucho más agresiva en sus últimos años, ya se sabe —en modo alguno desconocida para él—) contenía, supongo, un lado dolorosamente estimulante. No me parece justo, a estas alturas, hacer la apología cristiana (o romántica) de la adversidad, aunque tal vez, con algo de perversión, sea posible hallar una lejana certeza en la frase de Friederich Rückert, aquella de que la perla es la enfermedad de la ostra (utilizada por Piñera en el ensayo sobre Kafka publicado en *Orígenes*). Ningún escritor necesita de la desgracia para serlo. La literatura no nace de las carencias, sino de la exigencia de encontrar una estructura. "No hay más que la forma", que decía Frédéric Mistral. Sin embargo, vale destacar la gozosa fe literaria de Virgilio Piñera en medio del mayor desastre. Su respuesta contra las circunstancias hostiles fue mantener la fe (como definitivamente había hecho siempre), resistir del único modo que sabía o podía: imaginando, escribiendo, creando mundos extraños y absurdos y fantásticos, o lo que es lo mismo, vidas alternativas, un modo de comprobación de la realidad. "Dando fe". Aunque en su caso hablar de fe resulte un tanto impreciso. Su relación con la literatura fue siempre más allá de la creencia, la certeza, la afirmación, para convertirse en un todo con la vida. Como explicó en "El secreto de Kafka": "El mundo se divide en dos grandes mitades si lo miramos desde el ángulo de la personalidad: el de los que tienen fe y el de los 'que dan fe' [...] Los primeros reciben el nombre de seres humanos; los segundos, de artistas". Como Kafka, él no era otra cosa que un literato que procuraba dar fe, a su modo, de la marcha del mundo. Recuerdo que en cierta ocasión razonó que la literatura era "la única pasión fría". Pasión y frialdad no parecen dos palabras que puedan ir unidas en la vida. En la literatura, en cambio, se dirían inseparables. (Léase por ejemplo el bellísimo "Filosofía de la composición", ensayo de Edgar Allan Poe sobre la creación de *The Raven*. Léase "Cómo escribí algunos libros míos", de Raymond Roussel: se comprobará la verdad que se esconde tras la ironía y el humor). Intentar comprender la aparente paradoja de "pasión-fría" puede servir de mucho.

Con inusual lentitud Piñera escribía una compleja pieza, también en prosa y verso, sobre José Jacinto Milanés. La pieza nos sirvió de pretexto para un inolvidable viaje a Matanzas en el tren de Hershey, en compañía del profesor y ensayista Ángel Luis Fernández. Un buen pretexto para visitar la casa de Carilda Oliver Labra; oírlos recordar a Rolando Escardó; escuchar a la poetisa leer "En la notaría". Y un pretexto, claro está, para visitar la casa de Milanés, en la calle que ahora lleva su nombre. ¿Una reacción a *La dolorosa historia del amor secreto de don José Jacinto Milanés*, de Abelardo Estorino? Probablemente. Su imaginación tendía a ser dialogante, o mejor: discrepante. Gustaba de forzar otros puntos de vista, entablar discusiones, establecer disentimientos. Batallaba, siempre batallaba porque "toda versión es inefable, y todo hecho es tangible", y porque la soberbia del escoliasta, del aspirante a demiurgo, termina siendo "castigada con la tautología". Más que una "oscura cabeza negadora", según la *boutade* un tanto imperativa de Lezama, era un espíritu porfiado y litigante, que conocía lo benéfico del contradecir. Siempre reivindicó el derecho a la duda, a la disensión como el mejor modo de "dar fe". Lo exasperaba el apremiante decreto de la "Verdad". En el caso de Milanés, se hacía preciso tomar una posición en torno al gran misterio que parecía rodearlo. No bastaba con una explicación. En su opinión, había muchas, todas válidas. Además, al final ¿no quedaba el misterio Milanés?, y ese misterio, ¿necesitaba ser esclarecido? El poeta Milanés, ¿enloqueció?, ¿enloqueció por amor a su prima?, ¿enloqueció por su ética intransigente y lastimosa, la misma que le impidió ser un poeta más grande del que era? ¿A qué se debieron aquellos veinte años de silencio? Y si, en cambio, ¿no enloqueció?, ¿y si fuera posible sospechar que se trataba de una impostura? ¿Y si, gracias a su locura falsa, pudo salvarse Milanés de muchas cosas? En su opinión, la pieza de Estorino intentaba "explicar" la figura del poeta. Para comprenderla, procuraba "situarla" en un entorno, en un contexto histórico-social. Él, en cambio, y como no podía ser menos, discrepaba; creía en otro camino posible, o tal vez un no-camino, una no-explicación, una imposibilidad, un callejón sin salida. Por esa razón, su pieza debía llamarse "Diálogo de sordos". Un título que rápidamente informaba del propósito del dramaturgo. Y era un laberinto, el escenario como laberinto, en el que había dos personajes principales, el propio Piñera y Milanés. El primero interrogaba al segundo. Solo que el personaje Milanés era al propio tiempo tres Milanés diferentes: el loco, el loco creado por Milanés, y el poeta. En medio del interrogatorio de Piñera a Milanés, las posibles escenas de la vida del autor de *El conde Alarcos*. Escenas vistas desde varios puntos de vista, refutándose, contradiciéndose, de acuerdo con cuál de los tres estuviera relatándola. Piñera preguntaba; Milanés (la tríada Milanés) no respondía, o respondía lo que quería, algo que nada tenía que ver. Al final, la gran incógnita continuaba intacta. Si lo que importan son los hechos, ¿para qué buscar explicaciones? El resultado, como en un diálogo de sordos, conducía a la imposibilidad de descubrir quién era, qué había en el poeta matancero o, lo que es lo mismo, a la exaltación del secreto, del misterio Milanés.

Otro de sus proyectos: una novela. Su título, provisional o no, soy incapaz de recordarlo, ni siquiera estoy seguro de haberlo conocido alguna vez. Sé, en cambio, por lo mucho que se lo escuché citar, el epígrafe que debía de haber llevado, del *Ulysses*, de Joyce:

> —¿Qué es un fantasma? —preguntó Stephen Dedalus—. Alguien que se ha deshecho en impalpabilidad por muerte, por ausencia o por cambio de costumbres.

Recuerdo también el hermoso argumento que debió haber contado: Un anciano de vida banal (como Sebastián, el protagonista de *Pequeñas maniobras*: "debo ser pueril, no todos podemos ser insondables como los curas y los filósofos") y próximo a la muerte (como el señor Madrigal) sale a la calle, realiza tareas, paseos insignificantes, habituales, y comienza a descubrir que pasa inadvertido. Cada vez más inadvertido. Habla, pregunta, le cuesta lograr que le respondan. O simplemente no le responden. Debe hacer un esfuerzo por hacerse notar. Los otros deben hacer un esfuerzo por reparar en él. Un día inevitable, el anciano descubre que se ha "deshecho en impalpabilidad", se ha convertido en fantasma. Ya no es nadie para alguien. Anda por las calles cada vez más confinado, tan lejos de la vida que "casi no está", tan cerca de la muerte "que casi no es". Visita inútilmente a los viejos amigos y a los amores pasados. Regresa a las calles y a las casas donde ha vivido. Se sienta en los parques. Recuerda otros tiempos, aquellos en los que poseía una materialidad y se sentía dichoso. Deambula por La Habana. La vida de la ciudad nada tiene que ver con ese fantasma que ahora la observa desde una rara distancia. Imagina, quiere inventar, soñar posibles desenlaces. La vida pasa por su lado, y él no puede participar de ella.

No parece difícil deducir lo que esos proyectos quizá habrían pretendido revelar del propio Piñera. No solo del Piñera de los últimos años, aunque de todos los Piñeras, haya sido el del final el más *fantasmado*. En la obra de Piñera, la *fantasmación* se descubre en los inicios. Sus obsesiones casi no variaron con el tiempo. Y sus primeras páginas parecen un impresionante ejemplo de eso que los psicólogos suelen llamar "la profecía autocumplida". Léase, si no, las primeras narraciones, léase "La caída", ese cuento en el que los que se despeñan se fragmentan; o "El caso Acteón" donde los personajes se confunden en "una sola masa, un solo montículo, una sola elevación, una sola cadena sin término"; o, más evidentemente, en "Un fantasma a posteriori"; o el protagonista de *Pequeñas maniobras*, ese personaje pequeño y triste, afantasmado, que nada tiene que ver con Fernandel, mucho menos con Gérard Philipe... ¿Para qué continuar? La *fantasmación* está en casi toda su obra, y el término, felizmente creado, en *Dos viejos pánicos*. Con acierto, Humberto Piñera dejó dicho de su hermano: "[...] dada su hostilidad con el mundo, hizo del vivir una perenne *meditatio mortis* [...]". Frase que encuentra en el último Piñera su mejor ejemplo. El último Piñera fue tal vez el más "deshecho en impalpabilidad", el que deambulaba con una jaba de yute, entre la cafetería del club Las Vegas, en la calle Infanta, hasta el Super-Cake de Zanja y Belascoaín, en medio de la nada aún más dolorosa en que para él se convirtió La Habana de los setenta. Tampoco parece difícil encontrar el vínculo que estos proyectos guardan con el resto de su obra. Cuando a principios de los años cuarenta, en la madrugada (siempre trabajó de madrugada), en el balcón de un pobre apartamento de la calle Gervasio, escribió "La boda", el primero de lo que luego serían sus *Cuentos fríos*, ya Piñera había encontrado el modo justo en que quería dar fe del mundo en que vivía. No puede sorprendernos que para ello escogiera el rito eclesiástico de una boda, tan importante y glorificado en nuestra tradición, para banalizarlo y convertirlo en una simple sucesión de hechos, desde el momento en que, antes de comenzar la ceremonia, se adornan los bancos con cintas blancas, hasta que el pie derecho de la novia, abandonando la alfombra roja, indica "claramente que la boda había terminado". Tampoco puede sorprender que su magnífica *Electra Garrigó* sea, como él mismo dijo en la entrevista imaginaria con Sartre, una banalización del mito. Banalizaba o, lo que es lo mismo, ponía un acento en el conflicto entre lo cotidiano y lo inaudito.   Desde muy pronto su obra, y la postura que su obra exigía, lo condujeron a los márgenes. Por supuesto, ya se sabe que lo marginal es un término discutible, y que es difícil que un autor se considere marginal a sí mismo. Juan José Saer ha señalado que "cada autor, por la esencia misma del arte literario, postula su obra como un intento de englobar la existencia en su conjunto. En realidad, es la tradición oficial la que crea a los marginales, como la Iglesia a los herejes". No hay complacencia en la obra de Piñera. No hay otro encanto que el que puede crear el frío y el horror. El protagonista de *Pequeñas maniobras* se dice que "no basta con decir que la vida es bella, hay que probarlo". Para realizar esa comprobación, el argumento lógico piñeriano consiste en una reducción al absurdo. De ahí la persistente dificultad de su obra para abrirse paso hasta hoy, el hecho de que aún en la actualidad permanezca cercana a los márgenes. A pesar de cuánto nos revela del mundo, de nosotros, de nuestra relación con el mundo. A pesar de cuánto ilumina, sigue sin el reconocimiento que merece. Alguna verdad debe de gritarnos esa obra, que no nos gusta, que no queremos escuchar. Él no entonó melodías más o menos amables, no se propuso halagarnos, deleitarnos. No condescendió con la demagogia de la benevolencia. Mucho menos con la argucia de los prejuicios y los tópicos. Su pasión era, o es, fría; su frialdad, apasionada. Y su literatura nació de una permanente duda, de una implacable exploración de lo que se toma por verdad, de una denuncia de la impostura, del fingimiento, del *larvatus prodeo*. También de la soledad, de la angustia, del miedo. Y nació, al mismo tiempo, de su fragilidad y de su fuerza. ¿Podemos imaginar a este incómodo señor en los sillones de una academia, o dando discursos y recibiendo premios y homenajes? Thomas Mann nos informó en alguna ocasión que ser escritor no consistía en una profesión, sino en una maldición. Pocos escritores entre nosotros, como Virgilio Piñera, para proclamar la definitiva verdad de este principio.

Envío

Leo en *Los diarios de Emilio Renzi*, de Ricardo Piglia (Anagrama, Barcelona, 2016), la entrada del 31 de enero de 1968: "Encuentro a Virgilio Piñera en el Hotel Habana Libre, le traigo una carta de Pepe Bianco, salgamos al jardín, me dice. Estoy lleno de micrófonos, están escuchando lo que digo. Era un hombre frágil y tenue. Nosotros sin conocerlo ya lo queríamos. Había sido amigo de Gombrowicz y lo había ayudado a traducir Ferdydurke, por eso lo admirábamos, y en sus notables cuentos se nota el toque de Gombrowicz. Qué peligro o qué mal podía suponer este refinado artista para la revolución.

155

Nota sobre Reinaldo Arenas
y sus "epígonos"

Que Reinaldo Arenas es uno de los escritores cubanos más importantes del siglo XX no es algo que a estas alturas nadie pueda poner en duda. Quizá no fuera el más culto ni el más refinado; sabemos, sin embargo, qué valor relativo tienen la cultura y el refinamiento a la hora de narrar, de alcanzar la eficacia narrativa. Solo con la cultura y el refinamiento no se hace literatura; tampoco con la única arma de la vulgaridad. Hay que tener "otra cosa". ¿*Sturm und Drang*? Un toque de gracia, en efecto. Un misterio que complete la intensidad y la entrega al trabajo. Y algo que Arenas poseía en grado sumo, aquellas dos palabras que Leonardo tenía inscritas en su taller: *ostinato rigore*. Por encima de todo, y como pocos, Arenas poseía ese y otros muchos misterios, un "algo" que Proust llamaba la "potencia para reflejar" y que tal vez pueda ser más importante que cualquier otra condición. Su demonio resultó tan endemoniado como benéfico. Se convirtió en un azote. La frase "no tenía paz con nadie", que tanto se repite, fue en su caso un valor literario más. Tenía el diablo en el cuerpo y tuvo la capacidad de dejarlo reflejado en las páginas de sus narraciones. Como se sintió maltratado y humillado y traicionado, hizo de la venganza una de sus armas literarias. El demonio personal le permitió convertir la maledicencia y la represalia en un suceso gozosamente literario. Supo transformar la venganza en hecho estético —en eso pocos narradores cubanos pueden comparársele.

(Sin saberlo, sin quererlo, Reinaldo Arenas ha creado escuela: la de los blasfemos. Aquellos que creen que la maldición es, por sí misma, una categoría poética. Tras el autor de *El mundo alucinante* existe una alucinante ristra de escritores que "blasfeman". Y, lo peor, que suponen que la supuesta imprecación terminará otorgándoles la categoría de escritores. Como si con solo *épater* se consiguiera la página. En rigor, van casi todos en vagones de tercera. O quizá se quedaron simplemente sin billetes. Se aferraron a la maledicencia y a la venganza como quien se abona al género policíaco, a la novela de amor o al realismo sucio, sin tener en cuenta que cuanto era virtud —verdad, esplendor— en Arenas puede resultar en ellos tontería o en algo aún más grave: nada, nada en absoluto. La imagen de Reinaldo Arenas es tan deslumbrante que se pueden entender esas ansias de imitación. Solo que un exabrupto sin obra se queda en exabrupto. Todo surge, creo, de un malentendido: partieron de la suposición de que la grandeza de Arenas tenía que ver con su modo de estar en guerra con el mundo, sin percatarse de que era justamente la gran capacidad de narrar una historia la que otorgó a su venganza y a su crueldad una extraordinaria categoría estética. No por decir horrores se llega a ser un gran escritor; ser un gran escritor hace del horror materia literaria. Lo que vale la pena no es que un escritor ame u odie, sino qué hace con ese amor y ese odio. Leo por ejemplo en el blog de uno de esos oscuros "discípulos" una declaración del espanto de ser cubano, algo así como "escupo sobre la isla y todos sus habitantes, me cago en ella: yo no pertenezco a la literatura cubana", etc. Salvo el verbo "cagar", no son esas sus palabras; de algún modo y sin proponérmelo las he mejorado. Pero vamos a lo que importa, ante el exabrupto del epígono surge la inquietud inevitable: "Pues sí, señor Z., odia usted a Cuba y a los cubanos y caga cada día pensando en el horror de la bahía de La Habana... Muy bien, señor, ¿y qué?").

Hombres sin mujer y el extraño
caso de un escritor llamado Carlos Montenegro

Cierta noche de 1918, un joven marino (muy joven: había nacido en 1900) fue asaltado por dos hombres en una de las calles
contiguas al puerto de La Habana. Nunca se supo con exactitud
si querían robarle o si buscaban satisfacer algún otro deseo también clandestino. En cualquier caso, el joven no estaba dispuesto
a permitir que lo despojaran de lo poco que tenía, mucho menos
a dejarse someter por los desconocidos. Acostumbrado a lidiar
con la más diversa condición humana, en los barcos, en los puer-
tos —donde los hombres solían mostrar su lado más salvaje—,
iba armado. En los calcetines llevaba una navaja oculta (como
corresponde a las navajas), afilada y bien dispuesta, que aquella
noche, y como era de esperar, alzó en un instante de consterna-
ción y de violencia. Uno de los asaltantes huyó. El otro, malheri-
do en plena calle, murió poco después. Aun cuando el abogado
de oficio pudo probar que había actuado en defensa propia, el
joven fue condenado a prisión por homicidio a catorce años,
ocho meses y un día. Lo enviaron al Castillo del Príncipe. En la
cárcel comenzó a escribir intensos cuentos sobre marginales que
llamaron la atención del poeta José Zacarías Tallet. En la cárcel
comenzó la historia literaria de Carlos Montenegro, uno de los
grandes escritores cubanos del siglo xx.

Montenegro nació A Pobra do Caramiñal, un pequeño pueblo costero de Galicia, al sur de La Coruña, en el margen noroeste de la ría de Arousa, próximo a donde también había nacido don José María del Valle Inclán. El padre Montenegro, oficial español de la guerra de Cuba, se había casado con una criolla. Regresó a su tierra cuando, finalizada la guerra en 1898, las tropas españolas fueron evacuadas a la Península. Montenegro, el hijo, nació casi en el mar. Según confesó muchos años después al doctor Enrique J. Pujals:

> Nací, puedo decir, en el mar, porque mi casa en los pleamares quedaba cercada por las aguas que iban a mezclarse con las de un río cubierto de mimbres completando el cerco. Allí nací y pasé mi niñez. Muchas veces había que salir de la casa en bote. Cada vez que alzaba la vista mis ojos se inundaban con las inmensidades del Cantábrico y mis pulmones se hinchaban de aire marino.

En medio de semejante cultura marinera, entre la paradoja de un padre gallego (muy católico) que había participado en la guerra de Cuba, a favor de España, y una madre cubana, que simpatizaba con los masones y con los insurrectos, que incluso tenía familiares en el bando contrario, tabaqueros de Tampa, próximos a José Martí, creció el escritor hasta 1907. En ese año, la familia decidió regresar a La Habana en busca de un futuro mejor. Como en La Habana los negocios no fueron como esperaban, siete años después, en 1914, la familia embarcó de nuevo, esta vez para Argentina. Y fue allí, en Buenos Aires, antes de cumplir los quince años, que Carlos Montenegro se alistó como grumete en un barco llamado *El Julia*. Cuatro años, de 1914 a 1918, de largo peregrinar, de un carguero a otro carguero, de puerto en puerto, de Puerto Limón a Buenos Aires, de Río de Janeiro a La Guaira, de La Habana a Veracruz, de Nueva Orleans a Nueva York. Vida novelada: durante los períodos en los que el barco debía pasar tiempo en el puerto, fue minero en Pont Henry; desembarcó cadáveres que llegaban de la Primera Guerra Mundial, en el puerto de Filadelfia; fue obrero en una fábrica de municiones en Pennsylvania; cortó árboles en Ottawa; vivió la crueldad de la Revolución mexicana, en Tampico —allí pasó sus primeros meses en la cárcel—. Es decir, cuatro años de marino que significaron, en rigor, cuarenta años de experiencia para el joven que alzó la navaja en el altercado, y encontró la cárcel y también la vocación.

Aun antes que la escritura, en la celda comenzaron sus lecturas (el libro de *Las siete partidas*, de Alfonso el Sabio; *Telémaco*, de Fénelon; *Historia de la Revolución Francesa*, de Jules Michelet...). Y escribió las primeras narraciones que impresionaron a un importantísimo intelectual, miembro del Grupo Minorista y editor de la influyente *Revista de Avance*, el poeta José Zacarías Tallet. Enviados desde prisión, y gracias a Tallet, sus cuentos comenzaron a aparecer en las principales revistas cubanas: *Social*, *Carteles*, *Bohemia*, *Chic*, así como en la página cultural del *Diario de la Marina*. En 1928, todavía en la cárcel, obtuvo el primer premio de cuento de la revista *Carteles*, con "El renuevo". Un año después, apareció publicado su primer libro *El renuevo y otros cuentos*, bajo el sello de la *Revista de Avance*, . Entonces los intelectuales cubanos, entre los cuales se encontraban Enrique José Varona, José Antonio Fernández de Castro, Emilio Roig de Leuchsenring, Juan Marinello y el propio Zacarías Tallet, bajo la orientación del criminalista español Jiménez de Asúa, comenzaron una recogida de firmas para lograr que el presidente de la República, Gerardo Machado, conmutara la pena del narrador. El indulto llegó en 1931, once años después de haber entrado en prisión. Gracias al prestigio alcanzado como narrador, y a su unión con Emma Pérez, conocida periodista con la que contrajo matrimonio en la cárcel, comenzó a trabajar como reportero del periódico *Hoy*. Tres años más tarde, publicó *Dos barcos*, su segunda colección de cuentos. Miembro del Partido Comunista y simpatizante del bando republicano, al estallar la Guerra Civil Española viajó al frente como corresponsal de guerra. De semejante experiencia, nació un libro de reportajes *Tres meses con la fuerza de choque*. En 1938, a instancias del criminólogo español Jiménez de Asúa (el mismo que había asesorado en su excarcelación), quien quería presentar en un congreso en Viena una indagación sobre la reforma penitenciaria, comenzó Montenegro a redactar un testimonio sobre las condiciones de la cárcel cubana. El testimonio, por supuesto, acabó por obsesionarlo. Y lo que debía ser un panfleto, un alegato en contra de la vida en prisión, terminó por convertirse en una novela injustamente olvidada, *Hombres sin mujer*. Sin duda una de las grandes novelas de la literatura cubana, y acaso latinoamericana. Una novela en la que cualquier desliz o debilidad estructural quedan ocultos por el vigor del estilo, por la fuerza de la narración, que hace pensar en aquella frase de *En busca del tiempo perdido* donde Proust (acaso pensando en sí mismo) observa que el genio consiste en la potencia de reflejar y no en la capacidad intrínseca del espectáculo reflejado.

Hombres sin mujer apareció en México, publicada por la editorial Masas, y fue recibida como una obra maestra. En veinte capítulos titulados, escritos con estilo limpio, directo y vigoroso, un narrador omnisciente relata la sordidez de la cárcel, la desesperada vida sexual de un grupo de reclusos en una cárcel de La Habana. Pascasio Speek, negro, poderoso y rebelde, de origen jamaiquino; José Díaz, homosexual conocido como La Morita; Manuel Chiquito; Valentín, Brie... Las historias de todos se entrecruzan en ese infierno de la cárcel, a donde llega, casi por error, Andrés Pinel un rubio de ojos azules, recién salido de la adolescencia, tan hermoso como lánguido y ambiguo. La atracción entre el incorruptible Speek y el adolescente adquiere visos de tragedia. De esta novela escribió Guillermo Cabrera Infante:

> Extrañamente en español habrá que esperar hasta la publicación de *El beso de la mujer araña*, de Manuel Puig, en 1976, que es una ficción creada por la imaginación de su autor, para encontrar un libro que pueda ser semejante [...] La novela es un antecedente de Genet. Mejor que Genet, porque no contiene la carga de literatura pseudorromántica con que Genet idealiza el crimen. Además, Montenegro nunca fue ladrón. Se libró así de publicar un canto al robo con fractura y pederastia. *Hombres sin mujer* es no solo una

gran novela cubana, sino del idioma español, sin comparación posible.

En la Guerra Civil Española, Carlos Montenegro se decepcionó del Partido Comunista. Abandonó Cuba en 1959. Después de una breve estancia en México y en San José de Costa Rica, hacia 1962 se estableció definitivamente en Miami. Allí murió, diecinueve años después, bastante pobre, en la mayor soledad, rodeado de pájaros enjaulados, dedicado a tallar trozos de madera para construir barcos diminutos, como había aprendido en la cárcel de Tampico.

Coordenadas habaneras de José Lezama Lima

*En un país en el que por regla casi universal
los escritores y los artistas se cansan demasiado
pronto de sí mismos y dejan su obra potencial
a medio camino, él persistió, resistió todos los ataques,
las incomprensiones, las burlas incluso, y se mantuvo
fijo en su camino.*

GASTÓN BAQUERO,
"Palabreo para dejar abierto este libro"
(en José Lezama Lima, *La Habana*,
Editorial Verbum, Madrid, 2009)

Resulta siempre misterioso que una ciudad como La Habana, indiferente y hasta agresiva con sus escritores, haya provocado tanta pasión y tanta literatura. Es fácil, por supuesto, llegar a la conclusión de que justo esa impiedad puede ser la causa proporcional de tanta efusión literaria. Y no solo en habaneros de nacimiento, por supuesto, desde Julián del Casal a nuestros días, sino también en habaneros de adopción —en muchos casos, más entusiastas incluso que los propios habaneros—, como Lino Novás Calvo, Gastón Baquero, Alejo Carpentier o Guillermo Cabrera Infante.

En el lado paradójico de esta incógnita, en lugar destacadísimo, José Lezama Lima, el más habanero de los habaneros, el habanero perfecto (si tal cosa existe), más habanero que cubano, como ya se sabe. Nacido, en el célebre cuartel de Columbia, que, durante la primera ocupación, los norteamericanos fundaron en las colinas de Marianao. Educado, iniciado, robustecido y hasta negado en La Habana. Muerto civil —y muerto definitivo—, entre el Paseo del Prado y la calle Trocadero. El poeta apenas conoció el resto de la Isla. Un desplazamiento de media hora hasta Bauta, para almorzar con el padre Gaztelu, no significaba abandonar La Habana. Se sabe de un viaje, próximo el final de su vida, al valle de Viñales —viaje que, por cierto, dejó un poema memorable—. Dos brevísimas escapadas al extranjero: a México en 1949, y a Jamaica, un año después. El resto, La Habana, siempre ella, con su Paseo del Prado, su calle Obispo, sus pequeñas y gozosas librerías. Gastón Baquero escribió que no había "conocido a nadie tan habanero" como Lezama. Como su autor, *Paradiso* es una novela habanera, exclusiva y totalmente habanera. Solo podía haber sido escrita por alguien que transitara las calles reales e imaginarias de una ciudad tan hermosa como desagradecida. Y, como todo cuanto escribió tenía la ambición de conformar un sistema poético, cada poema, cada página de los ensayos, simulan las piezas de un grandioso mosaico habanero.

En 1958, mientras había comenzado ya a escribir su gran novela, Lezama Lima sumó en un libro algunos de los ensayos más importantes que había escrito hasta entonces y lo tituló *Tratados en La Habana*. En su segunda parte y, bajo el encabezado "Sucesivas o las coordenadas habaneras", reunió algunas (exactamente ochenta y cinco) de las páginas que, bajo la advocación de Michel de Montaigne, y sobre su ciudad, había publicado entre en 1949 y 1950, en una columna anónima de *El Diario de la Marina*. Todo aquel que se acerque a ellas, descubrirá, de algún modo, que se multiplican, se subrayan, se obstinan y resplandecen muchos de los temas habaneros de *Paradiso*. Allí están los paseos, los aguaceros, los ciclones y su amenaza, la alegría de las compras invernales, el "ocio bien llevado" de los parques, el béisbol, el mar, el Malecón, las librerías de viejos, la desolación de las playas de diciembre, las cenas de Navidad, el carnaval, los diálogos interminables... Es decir, aquella Habana que, sin saberlo, se acercaba al final de toda una época, y al inicio de su irrevocable destrucción. Lezama llegó incluso a decir el 15 de diciembre de 1949, en uno de esos extraordinarios apuntes:

"El artista siente su ciudad, su contorno, la historia de sus casas, sus chismes, las familias en sus uniones de sangre, sus emigraciones, los secretos que se inician, las leyendas que se van extinguiendo por el cansancio de sus fantasmas. Goethe fue el último europeo de gran estilo que extrajo sus fuerzas de la ciudad".

Desde el sillón fijo de su pequeña, húmeda, oscura casa de la calle Trocadero, en el centro de todas las algarabías, del trasiego de La Habana, el viajero inmóvil conformó la imagen de su ciudad, como si trabajara con fuerzas que lo arrebataran, que parecía que iban a destruirlo; destruyó el lenguaje y lo creó; durante el día careció de pasado y por la noche fue milenario; se acercó a las cosas por apetito y se alejó por repugnancia. Y cuando los tiempos fueron oscuros, supo encerrarse dignamente en su Vivarium, como Casiodoro, aquel senador latino del siglo V, el que fundó el monasterio llamado Vivarium con el fin de encerrarse, con los saberes antiguos, a la espera de mejores tiempos.

Noches habaneras. Una celebración
(Freddy y Guillermo Cabrera Infante)

1

Tres tristes tigres, la novela de Guillermo Cabrera Infante, o mejor dicho, "el libro", como le gustaba llamarla al autor, apareció en 1967, situado en el centro mismo de eso que se dio en llamar "boom de la literatura latinoamericana" y acreditado por el premio Biblioteca Breve que concedía (y concede) la Editorial Seix Barral. Yo vine a leerla, no obstante, casi diez años después de publicada, que para La Habana de entonces era un récord de actualidad, un verdadero *up to date*. Como otros tantos, aquel ejemplar gastado, manoseado, de páginas amarillentas, llegó de la mano de otro de los grandes escritores cubanos del siglo xx, Virgilio Piñera, quien era, por otra parte, uno de los personajes del libro. En aquellos sombríos años, Piñera solía proveerme de libros desaparecidos o prohibidos, rarezas, libros que solo atesoraban los grandes, los elegidos, como José Lezama Lima o Enrique Labrador Ruiz, con sus secretas y enormes bibliotecas. Como siempre sucede con los grandes libros, la lectura de *Tres tristes tigres* fue para mí asombrosa por varias razones: primero, por esa virtud en la que tanto se ha insistido: el tratamiento del lenguaje, el uso del cubano, o mejor, de ese idioma tan especial, caricioso, suave y engañoso que es el "habanero"; las particularidades de un habla, llevada aquí a sus extremos; utilizada, aprovechada, disfrutada, parodiada al máximo, una materia que, después de este libro, casi parece no dar más de sí. El propio autor lo declara en la "Advertencia" con la que abre su libro:

"[...] predomina como un acento el habla de los habaneros y en particular la jerga nocturna que como en todas las grandes ciudades, tiende a ser un idioma secreto".

El segundo impacto que me produjo su lectura tenía que ver con su estructura alegremente desarticulada, voluptuosa, lúdica, que a ratos encuentra lejanas y felices resonancias con *Tristram Shandy* o con el *Ulysses*. Tercero, me conmocionó el hallazgo de la noche o, para ser más preciso, de cierta noche, ese momento en que La Habana dejaba al descubierto su costado maldito (o bendito, según se mire), la maldita bendición de ser el espacio de todos los hedonismos, el transfigurarse en aquella versión deliciosa y pagana del jardín de las delicias. Y con el hallazgo de la noche, de la especial noche habanera, otro hallazgo importante derivado de este: el bolero. Quiero decir, del bolero, la canción romántica, como materia literaria. En aquel año de 1977, de infeliz memoria, sumidos en una brutal cerrazón histórica, descubrir o fantasear con la perenne fiesta de esas noches de cantina, fue para mí de importancia capital. Nadie se había adentrado con tanta inteligencia, mordacidad, poder de observación (con tanta felicidad, en suma), en los misterios de la Habana nocturna. En *Tres tristes tigres* y en casi la totalidad de la obra de Cabrera Infante, la noche alcanza una dimensión totalmente nueva. El autor escribió a este propósito:

"Ciertas novelas de horror y de intriga llevan la indicación, muchas veces apócrifa, de que no deben leerse de noche. *Tres tristes tigres*, o TTT si lo prefieren, tendría que cruzar una banda sobre la cubierta que diga: 'Debe leerse de noche', porque el libro es una celebración de la noche tropical".

Hasta Cabrera Infante, a los escritores cubanos o latinoamericanos no les había interesado en exceso este semblante habanero de bares, victrolas, vestidos de lamé y tragos de ron, ese rostro de apariencia frívola en la ciudad engañosa, de tantas caras, antifaces y secretos. Es cierto, a veces se cantaba a las delicias de la "noche tropical", pero solo a condición de exaltar esos mitos (necesarios sin duda, lo reconozco) de *la noche cálida y sensual*, de la luna, las estrellas, y las palmeras mecidas por *la brisa que viene del mar,* al borde de la playa maravillosa donde *se oye el rumor de una canción,* y el amor inevitablemente casto (más bien un sueño feliz) al arrullo del mar glorioso, testigo sereno. Hasta la aparición del libro de Cabrera Infante, nadie había reparado en el bolero como posibilidad de escritura. ¿Y qué relación podría existir, insisto, entre la literatura y el bolero? No solo la literatura latinoamericana se había mantenido tradicionalmente distante de la vida marginal y, por consiguiente, de sus formas culturales, como el bolero. Tampoco el cine latinoamericano de las décadas de los treinta, cuarenta o cincuenta, con su equivocada necesidad de distinción, con su tendencia a hacer obras "serias" y "grandes", supo aprovecharse de un fenómeno que sí era en verdad relevante. No se percataron, no pudieron percatarse, de las posibilidades dramáticas del bolero. Quizá la actitud ante lo "popular", o ante lo "al margen", había tenido a ratos la intención de recobrar el habla de los ignorantes, o tal vez la de testimoniar lo que sucedía entre esos ignorantes, sus penas y sus batallas. Así, pensando exclusivamente en nuestra historia literaria, se tomaban y recreaban las historias populares; se intentaba, con mayor o menor felicidad, el tono, o lo que esos escritores llamaban el "sabor" del habla popular. No obstante, la literatura nunca había necesitado apropiarse de las formas de la cultura popular. Esto ha sido bien observado por Carlos Monsiváis. Cito un párrafo de su ensayo "Ídolos populares y literatura en América Latina":

> Con discreción y en medio de pronunciamientos contradictorios, Borges usa el malevaje, el tango, la milonga y los entreveros en sus disquisiciones y ficciones. Pero será la década de los sesentas la que continúe un proceso que ya

el siglo XIX vivió sin extraer bastantes conclusiones: el de la continuidad forzada entre los gustos y predilecciones de las distintas clases sociales; el que, de hecho, hay más posibilidades en una sola cultura unificadora en América Latina de las que se piensan. En 1958, Fuentes, en *La región más transparente*, hace buen uso de los macro y microcosmos de John Dos Passos, y presenta a la ciudad entera con sus choferes, putas, millonarios y poetas, como un solo y continuado fenómeno de la cultura popular. Pero es el cubano Guillermo Cabrera Infante quien, de hecho y en rigor, origina un género y un método aproximativo a este fenómeno de disipación de fronteras entre el espectáculo y la vida cotidiana, entre la telenovela y las sensaciones de seguridad psicológica dentro y fuera de la familia, entre el ídolo de la pantalla o de los discos, y el santoral laico. Cabrera Infante es el más diestro intérprete de una sensación difusa: en la era de la tecnología, los santos, las vírgenes y las apariciones milagrosas dependerán de pantallas grandes y chicas, de casetes, de discos, de conciertos en escenarios debidamente iluminados y sonorizados... [...] En *Tres tristes tigres*, Cabrera Infante hace ese infaltable capítulo de la educación sentimental de América Latina: la canción romántica.

2

¿Qué es el bolero? ¿Qué decimos cuando decimos "bolero"? ¿A qué nos referimos cuando nombramos esas canciones de cursilería conmovedora, encantadoramente cursis, cuyo delirio, cuyas exaltaciones, cuyo *kitsch* no obsta para que nos llenen de nostalgia y nos hagan saltar las lágrimas? El musicólogo cubano Leonardo Acosta ha dicho que "el bolero es como un personaje de ficción, alrededor del cual se crea una trama y se inventa una biografía con visos de credibilidad". Si buscamos la palabra en el *Diccionario de la lengua española*, de la Real Academia, encontraremos un sin fin de acepciones en todo el mundo de habla hispana. En España puede ser un novillero, un mentiroso, una chaquetilla pequeña de señora, una música que se baila al son de guitarras, panderetas y castañuelas. En Guatemala y Honduras, un sombrero de copa. En Costa Rica, un juguete. En México, un limpiabotas... La acepción musical, la que interesa aquí, únicamente se refiere a una danza que, según dicen, deriva de la seguidilla. El *Diccionario de la música cubana*, del cubano Helio Orovio, se define de este modo el bolero:

> Género cantable y bailable diferente por completo a su homólogo español, del que sólo conserva la nomenclatura genérica. Surge en el tercio final del siglo pasado [se refiere al siglo XIX, este diccionario es de 1980] en la trova tradicional de Santiago de Cuba. Entre sus más tempranos cultores se considera a Pepe Sánchez, el maestro, pionero en la definición de los caracteres estilísticos del género [...] El bolero constituye, sin duda alguna, la primera gran síntesis vocal de la música cubana, que al traspasar fronteras, registra permanencia universal.

Otros autores no se muestran tan seguros sobre el nacimiento rigurosamente cubano del bolero y lo ubican en toda la región de El Caribe. Sospecho que el origen de esta maravillosa y evanescente criatura, no debe circunscribirse a un país latinoamericano concreto, sino más bien a una zona geográfica, o más aún, a una zona de la sensibilidad. Como el modernismo (con el que tiene una lejana, sutil y deteriorada conexión —hijo espurio y arrabalero de un padre espléndido y aristocrático—), encontró un momento, un lugar, una manera de decir y una sensibilidad propicios. ¿Cuba, Yucatán, Puerto Rico, costa caribeña de Colombia? ¿Y qué más da? Lo importante no se halla en qué país exacto nació, sino la geografía espiritual de El Caribe donde se desarrolló. ¿Nació acaso en Cuba y encontró impulso en todo el espacio de esas islas de habla española, en ese mar intenso, sensual, caluroso? Supongo que lo importante no es situar su origen exacto. Lo importante es el bolero. A diferencia de otras manifestaciones musicales cubanas, el bolero crea una singular asociación entre música y palabra. No es un género exclusivamente bailable. Es también un género *escuchable*. Tan *escuchable* que su baile es lento, sensual, de una erótica demorada, melancólica, a punto de ser triste. Cada cuerpo tiene la conciencia del otro cuerpo, y ambos escuchan la música, y esta los une en una languidez entre adolorida y satisfecha. El bolero no quiere seducir solo con el ritmo o con la melodía, sino además con la palabra y, a su modo, se propone acercarse a la poesía. Por eso en él es tan importante la voz, el intérprete, que llega a convertirse en ídolo. Más que cantar, el intérprete susurra, habla al oído. Si yo tuviera que definir desde el punto de vista de su materia a este personaje de ficción llamado "el bolero", al que, como dice Acosta, puede que se le hayan inventado múltiples biografías, diría que su cuerpo principal se halla construido con la nostalgia. Nostalgia del amor. Nostalgia de todos los placeres perdidos. Nostalgia del amor que se creyó auténtico y no lo fue. Recuerdo del dolor, casi regodeo en el dolor por aquel goce que solo fue momentáneo. Melancolía. Nostalgia de la persona amada que pudo haber sido el gran hallazgo de nuestras vidas y, que de pronto nos dejó otra vez en la soledad, en una soledad aún mayor, nos abandonó *en las tinieblas de la noche, sin ninguna explicación. No me extraña lo que hiciste, hace tiempo lo esperaba, allá tú si te cansaste del cariño que te daba...* Dolor de lo que se pierde irremediable: *Ya que te vas y me dejas el milagro de tu amor.* Conflicto neurótico entre el amor y el odio, entre el "te amo" y el "te desprecio": *Te odio y sin embargo te quiero...* Amar lo que debiera ser motivo de odio —conflicto tan antiguo en nuestra cultura, tan antiguo como el poeta romano Catulo, nacido en el año 87 antes de Cristo y que dejó una carmina, cantiga o canción con aquello de "Odio y amo. Tal vez preguntes por qué lo hago. No lo sé: pero siento que soy torturado y transformado"—. Y sin embargo, no es únicamente el despecho, el rencor por la traición amorosa, lo propio del bolero. Más aún, es su carencia de ambigüedad, la desfachatez con la que habla de su dolor, su falta de recato, la ausencia de sutilezas, el descaro con que nos pone frente a la aflicción, en esa zona raramente intermedia entre lo conmovedor y lo cursi, entre la seriedad y la risa. A propósito del bolero, vuelvo a citar Monsiváis:

"Los sentimientos descarnados o expuestos frontalmente pueden provocar la risa, pero también, al ser tan sinceros, en un momento en que nadie los demanda, pueden provocar el respeto".

En cualquier bolero, tomado al azar, encontraremos, a la perfección, la fórmula de los sentimientos expresados de forma brutal, excesiva, sin cautela. No hay rubor en los boleros. Carecen del sentido del ridículo o de la humillación, o quizá habría que llegar a la conclusión de que es justo eso lo que provoca placer. No se negará que esta característica lo hace ideal para las noches de cantina, en las que el hombre o la mujer que llegan *derrotados* de alguna contienda amorosa, *ahogan sus penas* en el vaso de aguardiente y en la música que escapa de la victrola. El bolero canta, murmura, musita con voz dulce lo que ellos quieren oír. Proporciona la justa concepción del mundo que puede aceptarse frente al espejo del bar, en compañía del trago de ron añejo, ese moderno sustituto del nepente. El lugar del bolero no es, por tanto, la sala de concierto: su templo es el bar. Su verdadero sitio, el espacio que lo sacraliza, es la cantina, la oscuridad de la cantina, el choque de los vasos, el humo del tabaco, las soledades compartidas, los largos y susurrados discursos sobre cómo disfrutar del dolor con que nos han lesionado, cómo planear la venganza. Su hora no es el día, ni siquiera la noche. Su hora es la alta noche. La madrugada radiante, terrible, en que nos acecha esa extraña mezcla de alegría y desolación. El bolero pertenece al reino de la oscuridad, de la debilidad, de lo insomne, ese territorio de la noche en que, de tan vulnerables, creemos tener la revelación de que si no hay compañía, si no hay amor, no podremos sobrevivir, no podremos vivir.

(El bolero es un modo de interpretar una canción, una actitud a la hora decir. Escúchese por ejemplo un tango como *El último café* cantado por Vicentico Valdés o por Elena Burke).

Si el bolero encuentra en el bar su santuario natural, su templo, las victrolas constituyen su altar. Las victrolas, esos fonógrafos adornados con luces de neón que precisaban de una moneda y de una combinación de teclas para buscar la música. En la década de los cincuenta, La Habana estaba llena de solitarios y de bares, de santuarios, y los traganíqueles, victrolas, gramolas o *juke box*, sus altares, alcanzaron la mayor gloria. La profusión de las victrolas coincide con una impresionante explosión del bolero. En aquellos memorables años cincuenta, las victrolas, desperdigadas por toda la geografía de Cuba llegaron a contarse en más de veinte mil. El contador de la popularidad eran las victrolas. Muy por encima de lo que dictara la radio, o la recién estrenada televisión. Lo más popular era lo que se escuchaba en las gramolas. Esta categoría de la "victrola" en el ambiente musical cubano, muy reveladora por cierto, impulsó la aparición de creaciones concebidas especialmente para ellas, y para escucharlas en las cantinas. De este modo se llegó a hablar del "bolero arrabalero", "bolero de victrola", "bolerón" o "bolero barriobajero". No podemos entender, o mejor, explicar nuestras vidas sin esas canciones desgarradoras, de despechos y amores contrariados, de traiciones, de borracheras, de odios, rencores y largas, dulcísimas reconciliaciones.

3

Parece lógico que un escritor como Guillermo Cabrera Infante, con un sentido del humor tan acentuado y culto, con una ironía cargada clemente e inclemente, la mirada despiadadamente literaria, se haya fijado en el bolero como expresión de una sensibilidad y como enunciado poético. Guillermo Cabrera Infante es, entre nosotros, el escritor que logró escribir lo que ya se anotaba sutilmente en los márgenes y el ambiente de una época. *Tres tristes tigres*, entre otras muchas cosas (como corresponde a todo libro excepcional), es la expresión de una sensibilidad escondida, reprimida, ocultada por un falso prurito de la alta cultura, por el errático concepto de la cultura y de la erudición. Puede que la Noche Habanera sea su gran protagonista. Como en toda noche, mucho más en las noches de La Habana, existen múltiples destellos. Nos asaltan allí numerosos protagonistas. Estamos hablando de una ciudad, o de la noche de una ciudad, que ha sido siempre un largo y complicado laberinto, sin minotauro; es cierto, aunque con muchos héroes y heroínas dispuestos a todo por encontrar al monstruo que no existe. De entre los múltiples protagonistas de esa tentativa imposible, emerge, con especial brillantez, La Estrella, "Ella cantaba boleros".

Es casi un tópico señalar que *Tres tristes tigres* no es una novela convencional. Sucede que la historia que verdaderamente cuenta se desarrolla en otro plano de aquella historia que parece que cuenta. Sus auténticos protagonistas, como ya he insinuado, no son sus personajes, sino el lenguaje de sus personajes y esa hora que han elegido para vivir: la noche. No quiero decir con esto que sus personajes se diluyan en lenguaje y tiempo o que el libro carezca de grandes personajes. Al contrario. Como en toda gran novela, ahí están esas magníficas criaturas, llenas de vida: Cuba Venegas, Códac, Bustrófedon o La Estrella. Pero tal vez sea esta última, La Estrella, quien más impresione. También es cierto que de todos los personajes del libro, ella es acaso la única que da fe de vida con un disco y una voz con la que aún podemos sorprendernos. Porque la Estrella es un personaje literario, un portentoso personaje literario, pero se sabe que ese personaje, como cualquier personaje, fue compuesto con los algunos elementos de una cantante real, tan real como fugaz, llamada Freddy. En

"Ella cantaba boleros", encontramos la perdurable Estrella, que se crea con numerosos detalles de la imaginación de su autor, y con la carne corruptible de Fredesvinda García, más conocida como Freddy.

En un inolvidable viaje en coche desde Madrid a Cartagena, la compositora Marta Valdés, que conoció a Freddy (no solo la conoció, sino que Freddy fue una de sus mejores intérpretes), pasó una tarde hablándome de ella. Fredesvinda García, *Freddy*. Si el nombre era impresionante, más lo era la mulata enorme, con casi doscientos kilos de peso y una historia de melodrama cinematográfico. Había sido cocinera en casa de unos ricos (los Bengochea) de El Vedado. Los dueños de la casa la escucharon cantar y no pudieron dar crédito a aquella voz que, más que de contralto, parecía de barítono. Cantaba a capela, no le hacía falta el acompañamiento musical. De hecho, cuando una vez, para un disco, tuvo una orquesta a su disposición, ya no fue lo mismo. (La orquestación de su disco no puede ser peor, según los que la escuchaban cada noche y la admiraban). Los mismos dueños de la casa de El Vedado la llevaron al cabaret Las Vegas, donde arrebató a los solitarios de aquellas madrugadas habaneras. Luego, mejoró en la pista del cabaret Capri. Cuando el doctor Cristóbal Díaz de Ayala, en su libro *Música cubana*, reseña el año 1959, año del triunfo revolucionario, expresa:

"El descubrimiento del año es una señora que responde al improbable nombre de Fredesvinda García y pesa 150 kilos de peso, con una voz de contralto y un estilo único para cantar. Al poco tiempo, de cocinera en una casa de El Vedado, Freddy es la estrella del cabaret Capri".

Y así nació la efímera Freddy, para estimular luego a Guillermo Cabrera Infante en la creación de La Estrella eterna.

4

Tanto Freddy como Guillermo Cabrera Infante dejaron La Habana y sus noches. Ambos se alejaron "para siempre" —y la frase es patética—. Marcharon al exilio. En esa tierra de nadie intentaron continuar el camino y conocieron la rabia, la nostalgia y el dolor por la isla perdida. Como era de rigor, murieron en la batalla. Ella desapareció en Puerto Rico, en 1961, con solo veintinueve años. Él murió en Londres cuarenta y cuatro años después. Por suerte, además del mundo, de este mundo de las cosas que llamamos reales, existe ese otro mundo, más real sin lugar a dudas, que se llama literatura. Confío en que no sea una simple frase decir que ambos viven y pasean en esa noche de ronda, gracias al hechizo de un libro extraordinario.

De cómo Lino Novás Calvo murió
y volvió a la vida

> And add thy drop of sorrow to the sea.
> Having known grief, all will be well with thee,
> Ay, and thy second slumber will be deep.
>
> GEORGE SANTAYANA,
> "Have patience; it is fit that in this wise"

Narrador de libros inevitables como *La luna nona y otros cuentos, Cayo Canas, El negrero...*, Lino Novás Calvo no aparece en el *Diccionario de la literatura cubana* que en 1984 publicó el Instituto de Literatura y Lingüística de la Academia de Ciencias de Cuba (Editorial Letras Cubanas). Hasta donde sé, es el único diccionario literario publicado en Cuba en los últimos sesenta años. Semejante ausencia, unida a los largos años que Novás Calvo estuvo sin publicarse en Cuba, puede ser el síntoma de muchos daños. Propondré solo uno, bastante definitivo por cierto: para quienes quizá seamos sus lectores naturales, para quienes debimos de haber sido sus primeros lectores —los cubanos—, Lino Novás Calvo murió veintitrés años antes de su verdadera muerte en 1983. Era algo que ocurría con todo el que abandonaba el país ("para siempre") después del 1 de enero de 1959. A partir de semejante fecha, un viaje, un desacuerdo, una opinión ligeramente distinta, adquiriría peligrosísimas connotaciones de "traición a la patria", en una sinécdoque diabólica. Y si el silencio —y ese alarmante uso del verbo en pasado— fue definitivo y doloroso para cualquier emigrante, aún más lo fue, si cabe, para escritores y artistas; por varias razones entre las que destaca una bastante simple: el escritor y el artista no son solo responsables de sí mismos; no les basta con *salvarse*, tienen otras considerables cosas que salvar. También es justo matizar que hubo muchos murieron antes de morir, sin haber abandonado la Isla; esta, sin embargo, es una variación a partir del mismo tema, o mejor dicho la historia igualmente trágica del otro exilio, el inmóvil, un relato con diferente espacio y ciertas variaciones en el punto de vista. Aquí, ahora, se trata únicamente el dato minúsculo de la atronadora ausencia en un diccionario. Y el otro mayúsculo de la muerte en vida que tuvo lugar aquel día de agosto de 1960 en que Novás Calvo, su esposa, la periodista Herminia del Portal y su hija Himilce pidieron asilo político en la embajada de Colombia en La Habana, antes de salir hacia Miami, Florida, tres meses más tarde. El justo momento de iniciar lo que para él fueron veintitrés años de invisibilidad. Como era habitual, a Novás Calvo nunca más se le publicó. Se eliminó de los planes de estudio. Se borró su presencia literaria. Dejó de ser un escritor cubano. Dejó de ser un escritor. Dejó de ser. En cinco o seis años, salvo algunos pocos, ya nadie sabía quién era o había sido Lino Novás Calvo. Una vez comprobado a qué grado de muerte civil llegó el proscrito narrador en Cuba, sería legítimo pensar que fuimos únicamente nosotros, sus lectores cubanos, los privados de semejante estímulo literario. Sería legítimo, pero no. No fue así como sucedieron las cosas. Porque de pronto Cuba, la patria, pareció abarcar mucho más de los casi doscientos mil kilómetros cuadrados que tiene de superficie. Exiliarse de ella alcanzó un extremo trágico: salías en balsa, barco o avión y desaparecías en el horizonte. Te exiliabas y te expulsaban de la realidad. No solo te silenciaban para los compatriotas, esos que con imprecisión y exceso de optimismo he llamado "lectores naturales", sino además para el resto de los lectores, en cualquier idioma. No solo te despojaban de tu tierra si no de la Tierra. Se completaba así el círculo perfecto de la "fantasmación" (la palabra es de Virgilio Piñera: *Dos viejos pánicos*). En tanto escritor, la víctima dejaba de existir. Para comprender las consecuencias, por contraste y salvando las distancias o las posibles dimensiones históricas, basten acaso dos ejemplos: por un lado, el de tantos escritores alemanes huidos del fascismo a los que el mundo no silenció; tantos escritores españoles huidos del franquismo a los que el mundo tampoco silenció. Por supuesto, fueron Thomas Mann, Luis Cernuda, Stefan Zweig, María Zambrano, Robert Musil, Juan Ramón Jiménez y una interminable lista de escritores, quienes enmudecieron al poder, no a la inversa. A los escritores cubanos que se fueron de Cuba después de 1959, por el contrario, ni siquiera se les permitió llevarse la canción, como en los versos de León Felipe. Y si alguno tuvo a bien mantener la voz antigua de la tierra, nadie estuvo dispuesto a escucharlo. El "prestigio" de la revolución cubana al frente de la lucha contra los "oprimidos", los "condenados de la tierra", salvaguardia de la "igualdad social", convirtieron automáticamente al que se exiliaba en desprestigiado valedor del "opresor", de los "bienaventurados de la tierra", y valedor (¡faltaba más!) de la injusticia social. Había además excelentes argumentos:

> ... con la revolución todo; contra la revolución nada.
>
> ... las revoluciones no pueden tener compasión;
>
> ... la revolución es joven y se encuentra sitiada por un enemigo excesivo y poderoso;
>
> ... la revolución puede darse el lujo de ser injusta, puesto que se encamina hacia un futuro mejor;
>
> ... "quien va en busca de montes no se detiene a recoger las piedras del camino" (frase descontextualizada de José Martí);
>
> ... qué importa el destino de un individuo cuando está en juego el destino de todo un pueblo, etc.

Silenciar. Enmudecer. Dejar sin voz al "enemigo" en nombre del noble proceso de construcción del "hombre nuevo", de "la sociedad nueva", formaba (forma) parte de las estrategias "revolucionarias" de supervivencia. Se trataba, se trata, como se comprenderá —siempre de acuerdo con el discurso oficial—, de algo *justo e inevitable* si se querían garantizar, consolidar, las *conquistas revolucionarias*. Y dentro de esos enemigos importantes, los escritores alcanzaban lugar distinguido. "Todos los gobiernos abominan de la literatura —escribía Flaubert—: el poder desconfía de otro poder". Por alguna diabólica lucidez (y a diferencia del estado democrático), el totalitarismo ha poseído siempre una gran certeza sobre la autoridad de la literatura. De modo que una de las principales tareas de los poderosos revolucionarios cubanos consistió en ganar la batalla de la legitimidad. Y fue ganada con creces. Fue ganada prácticamente hasta la mañana de febrero en que escribo estas páginas. De lo contrario, ¿cómo se explica que novelas como *El negrero, vida novelada de Pedro Blanco Fernández de Trava*, nunca se mencionara entre las precursoras del llamado *boom* de la literatura latinoamericana? ¿Cómo se explica la prácticamente total ignorancia sobre uno de los cuentistas más grandes que ha dado América Latina? Como Enrique Labrador Ruiz, Eugenio Florit, Jorge Mañach, Leví Marrero, Eladio Secades, Lydia Cabrera, también Lino Novás Calvo entró en el panteón de los ilustres escritores muertos para académicos y lectores. Guillermo Cabrera Infante corrió tal vez un poco de mejor suerte gracias al premio Biblioteca Breve de Seix Barral por su libro *Tres tristes tigres*. En cuanto a Reynaldo Arenas, fue la muerte quien comenzó a sacralizarlo. El *boom*, surgido al fragor del triunfo de la revolución cubana, desechó escrupulosamente cuanto escritor o artista, "víctimas de sus limitaciones de clase", no anunciara la buena nueva de que aquella gran humanidad había dicho basta y echado a andar con paso de gigante y que ya no se detendría jamás. Semejante politización provocó la confusión inevitable: no siempre la literatura revolucionaria coincidió con la buena literatura, y la buena literatura que no se consideró "revolucionaria" terminó silenciada. Muchos autores de libros supuestamente bien intencionados y efímeros como las mismas ideas que los sustentaban ocuparon el salón de los festines.

También parece justo reconocer que todo parecía indicar que, por aquellos años, finales de los cincuenta y principios de los sesenta, Novás Calvo ya no se hallaba en condiciones de ofrecer batalla. Nacido en 1903, cumplió cincuenta y seis años en septiembre de 1959. Para él, sin embargo, y aunque le quedaban aún más de veinte años de vida, ya esta parecía demasiado extensa y demasiado intensa, y se sentía en el plano inclinado de algunas decepciones importantes. Se desilusionó de la contienda política. Nada esperaba de la lucha por la justicia social que había exaltado su juventud. Y para colmo, si vamos a hacer caso a los testimonios de los amigos cercanos, perdió también la fe en la literatura. Ignoro hasta qué punto esto último sea rigurosamente cierto. Quizá se trató solo de un cierto escepticismo. Pero basta que desaparezca por un instante la fe en la propia literatura, para que un escritor sienta que el mundo se viene abajo. Más aún cuando, además, el mundo, su mundo, se viene efectivamente abajo. Certezas que se convertían en incertidumbres, dudas que se magnificaban, presupuestos que carecían de sentido... Sobre todo para él, que vivió los inicios de la República de Cuba, que se supone llegó a Cuba, procedente de su aldea natal, Granas do Sor, La Coruña, hacia 1920, cuando en la recién estrenada República se acercaba al final de una época de bonanza (la Danza de los Millones) que no impidió las pequeñas guerras y la corrupción de las instituciones. Los años en que se presentían las catástrofes del Jueves Negro que dio inicio al Crac del 29. Se dice que, a semejanza de William Faulkner, uno de sus maestros, realizó oficios disímiles para sobrevivir antes de dedicarse al periodismo y la literatura. Así, al más puro estilo escritor-aventurero, el joven Novás debió cortar caña, limpiar pisos, preparar carbón en los cayos, contrabandear con ron durante la Ley Seca norteamericana y conducir un taxi —feliz trabajo: sin duda estimuló uno de los cuentos más brillantes que se hayan escrito en Cuba, "La noche de Ramón Yendía" —. Fue por esos años en que descubrió la desenfrenada delectación de la literatura. Estudió inglés, viajó a Nueva York, se acercó a intelectuales socialistas y comunistas que se reunían en torno a la revista *Social* (1916-1938) y la *Revista de Avance* (1927-1930). Gracias a un nada común acto de justicia, Félix Lizaso, Juan Marinello y Jorge Mañach se percataron de su talento y lograron que trabajara en la librería Minerva (la más importante de La Habana en aquellos años), confeccionando las fichas de las novedades literarias que se recibían, y dando inicio a una esplendente carrera literaria que comenzó con un cuento, "El bejuco" (1931), y la novela *El negrero. Vida novelada de Pedro Blanco Fernández de Trava* (1933). Para esos años, y como corresponsal de la revista cubana *Orbe*, se halló de regreso en España, y allí, en Bilbao lo sorprendió el golpe de Estado contra el gobierno de la Segunda República. Cercano al Partido Comunista, Novás se hizo miembro de la Alianza de Escritores Antifascistas para la Defensa de la Cultura. De más está decir que no se sale incólume de una guerra civil, mucho menos de una guerra civil como la española. Nadie abandona ileso ninguna guerra: mucho menos la tragedia del fratricidio. Contemplar, o mejor dicho vivir el fratricidio, debió de ser determinante para su desesperanza posterior. Sabemos, además, que no solo se cometieron crímenes en el bando fascista. Conocemos asimismo del Terror Rojo, de los crímenes del bando comunista. Conocemos de las checas, de la matanza de Paracuellos y de la traición de Stalin.

Por fortuna, en 1942 Novás Calvo publicó *La luna nona y otros cuentos*. Aquellos años, en Cuba, eran de cierta serenidad, luego de la Revolución del Treinta y la huida del cacique Gerardo Machado. Fulgencio Batista abrió su etapa constitucional y se aprobó una constitución extraordinariamente progresista, la del Cuarenta. La estabilidad política, coincidió con la gran explosión de la narrativa cubana. Verdadera edad de oro. Los años de *Hombres sin mujer*, de Carlos Montenegro; de *Viaje a la semilla*, de Alejo Carpentier; de *Cuentos negros de Cuba*, de Lydia Cabrera; de *Carne de quimera*, de Enrique Labrador Ruiz; de "El conflicto" y *Poesía y prosa*, de Virgilio Piñera (quien también escribe *Electra Garrigó*, la primera gran puerta abierta del teatro cubano)... Y eran, asimismo, los años de la revista *Orígenes*; los años en que Fernando Ortiz publicó *Contrapunteo cubano del tabaco y el azúcar*; Jorge Mañach, su *Historia y estilo*... El tiempo en que, en una casa de Buen Retiro, Marianao, Wifredo Lam terminó *La jungla*, y Lezama, en la suya de Trocadero, publicaba dos libros excepcionales: *Enemigo rumor* y *Aventuras sigilosas*. Una década extraordinariamente fructuosa, en donde Lino Novás Calvo alcanzó un lugar sin discusión. Guillermo Cabrera Infante dejó escrito:

[...] cuando un día se escriba la historia definitiva del cuento en América se verá que Lino Novás Calvo está entre sus maestros: Horacio Quiroga, Borges, Felisberto Hernández, Juan Rulfo, Virgilio Piñera, Adolfo Bioy Casares para citarlos en orden cronológico. Lino Novás Calvo fue el primero que supo adaptar las técnicas narrativas americanas a una escritura verdaderamente cubana —y lo que es más, habanera. En sus cuentos se oye hablar a La Habana por primera vez en alta fidelidad. Sobre todo La Habana de las afueras, la que conversaba en Diezmero y Mantilla y Jacomino y Luyanó y Lawton Batista: en los traspatios.

El día en que las campanas doblaron por la muerte civil de Lino Novás Calvo, doblaron por todos nosotros. No se puede extirpar una parte del cuerpo espiritual de una nación sin que el todo sufra. Ahora, hace apenas algunos años, la cultura cubana comienza poco a poco su lento y doloroso proceso de desagravio. Quizá no sea siquiera un proceso consciente, mucho menos una labor de Estado. Se trata, después de todo, de la inevitable reparación del tiempo. "La verdad es hija del tiempo", anotó Aulo Gelio en sus *Noches áticas*. O como dicen que solía decir la profesora Vicentina Antuña, interpretando a Aulo Gelio en versión cocinera: "Existen males que se curan con cocimiento de hojas de almanaque". La extraordinaria obra de Lino Novás Calvo emprendió por fin la ocupación del espacio que nunca debió haber perdido. La publicación en Cuba de un tomo con prólogo de Jesús Díaz, en 1990, y la aparición de *El negrero* y *Otras maneras de contar* en Tusquets Editores, en 1999 y 2005, respectivamente, abrieron las puertas a la resurrección de Novás. Luego, han aparecido diversos libros:

El comisario ciego y otros relatos, Biblioteca del exilio, Edicios do Castro, 2003.

Angusola y los cuchillos, Editorial Oriente, Santiago de Cuba, 2003.

Laberinto de fuego, Epistolario de Lino Novás Calvo, Centro Cultural Pablo de la Torriente Brau, La Habana, 2008.

Órbita de Lino Novás Calvo, Ediciones Unión, La Habana, 2008.

España estremecida, Crónicas en la revista *Orbe*, Editorial Renacimiento, Sevilla, 2013.

Vidas extraordinarias, Crónicas biográficas y autobiográficas, Editorial Verbum, Madrid, 2014.

Lo que entonces no podíamos saber (artículos en *Bohemia Libre*), Los libros de las cuatro estaciones, Término Editorial, Charleston, SC, 2016.

Un experimento en el Barrio Chino, Los libros de las cuatro estaciones, Término Editorial, San Bernardino, California, 2017.

Un escritor en el frente republicano, Fondo de Cultura Económica, Madrid, 2018.

Crónica roja, Editorial Libro de las cuatro estaciones, Cincinnati, 2018.

Son fracciones de Novás en busca del narrador completo. Aquí está el joven y el viejo, el enérgico y el sombrío, el encantado y el desencantado, el que escribe sobre la Guerra Civil Española y sobre la Cuba posterior a 1959. Con mayor perspectiva, se puede seguir la evolución de un estilo, de un pensamiento narrativo, de un proceso literario que es, al propio tiempo, un proceso vital. Se comprobará la fidelidad hacia sus obsesiones temáticas, y el desarrollo de su estilo, con ese modo tan desenfadadamente habanero con que los narradores cuentan sus historias, como si estuviéramos con ellos en la barra de maderas nobles de algún bar de la calle Obispo, en una esquina del Mercado Único, en un traspatio de Luyanó, en algún rincón de la Playa de Marianao.

De pájaros, guiñoles y hogueras

En aquel frenético y contradictorio 1968, yo cumplí catorce años. En Cuba nadie salió a la calle, nadie demandó que, en nombre del realismo, se buscara lo imposible. Algunos jóvenes se reunían en los alrededores el hotel Capri. Otros tocaban guitarra en los días larguísimos y plácidos de los muelles de la Playa de Marianao. Cantábamos: *If you're going to San Francisco, be sure to wear some flowers in your hair...* Se hablaba, por lo bajo, de Joan Baez, de Bob Dylan. Muchos leían a escondidas la edición argentina de *Las puertas de la percepción*, de Aldous Huxley. Nada más. O poco más, que yo recuerde. Como es habitual en Cuba, los sucesos tuvieron un matiz diferente, avanzaron por otros rumbos: nada de revueltas y reivindicaciones morales. Aunque por fortuna tampoco hubo matanzas como la de Tlatelolco. Matanzas explícitas, quiero decir. El mundo por un lado, la Isla por el otro, según su costumbre. Hacía algún tiempo que la Isla había comenzado su lento, doloroso y extemporáneo proceso de inmovilidad.

Y sin embargo conservo importantes recuerdos de aquel año; al fin y al cabo yo estaba comenzando a vivir y todo lo nuevo alcanzaba condición de deslumbramiento. Una de esas revelaciones tuvo que ver con una función en la pequeña sala del Guiñol

Nacional. Entonces no sabía —no podía saber— que era el privilegiado testigo de una histórica puesta en escena: un *Don Juan*, de Zorrilla, creación de muñecos para adultos, debido al talento de la gran titiritera cubana Carucha Camejo. Con los años, el recuerdo de aquel *Don Juan* se ha ido convirtiendo en referente inevitable, en hito luminoso del teatro cubano. Ignoraba asimismo que no solo sería su impresionante calidad artística lo que terminaría convirtiendo en mito aquel *Don Juan*; a transformarlo en el suceso memorable que es hoy también contribuyó su involuntario carácter efímero: el que se hubiera intentado borrar para siempre de la historia de nuestro teatro. Hasta mucho después no supe cuánto de oscuro estaba teniendo lugar en la historia secreta de Cuba. Luego supe, por ejemplo, que aquellos títeres (no solo los del *Don Juan*, sino todos los que conformaban el repertorio del Guiñol) habían sido arrojados a una hoguera. Aunque ni siquiera la palabra "hoguera", con sus connotaciones purificadoras, parece ahora la apropiada. Fue más bien una pira innoble, sin pretensiones litúrgicas, que nada conservaba de rituales inquisitoriales. Se trató de un fuego escondido, baladí, rutinario. Excelente paradigma (en dimensión pequeñísima y mezquina) de lo que Hanna Arendt llamó la "banalización del mal". Sin parafernalia, sin ostentaciones, sin ínfulas ejemplarizantes, ardieron decorados, diseños, textos, muñecos. No obstante, era solo un elemento del problema, su lado "estético", por decirlo así. Por supuesto, la injusticia mayor tenía lugar con las personas. Había comenzado una escalada contra la homosexualidad (sobre todo contra la masculina: la homosexualidad femenina fue siempre más tolerada por los dirigentes de la revolución, como se puede comprobar —aun hoy— sin dificultad). Una escalada en todos los terrenos; principalmente en su lado más visible y habitualmente vulnerable, el de la cultura. Quizá sería mejor decir que no había comenzado, que se iba extendiendo, se desenvolvía inexorable. Su origen había tenido lugar mucho antes, y poco a poco. De modo que en la Isla —en la que nueve años antes había triunfado una revolución— se comenzaba por demostrar la falsedad de la vehemente pintada del centro Censier de París: "La emancipación del hombre será total o no será". Innumerables actores, actrices, escritores, pintores, músicos, fueron expulsados de sus puestos de trabajo, de las escuelas donde daban clases. Se les llamó "parametrados". La fea, escalofriante, burocrática palabra, que parece salida de la imaginación de un personaje imaginado por Kafka, quería decir que "no cumplían con los parámetros sociales".

A pesar de las disculpas de Fidel Castro en 2010 por la persecución homosexual de aquellos años al diario mexicano *La Jornada* —en las que llegó a justificarse con el argumento de que demasiados problemas de "vida o muerte" le impidieron atender esa injusticia—, lo cierto es que en un temprano y agresivo discurso de 1963, y que se puede consultar en la red sobre las "desviaciones sociales e ideológicas", el jefe de la revolución había declarado:

Muchos de esos pepillos vagos, hijos de burgueses, andan por ahí con unos pantaloncitos demasiado estrechos (*Risas*); algunos de ellos con una guitarrita en actitudes "elvispreslianas" [sic], y que han llevado su libertinaje a extremos de querer ir a algunos sitios de concurrencia pública a organizar sus shows feminoides por la libre. Jovencitos aspirantes a eso? ¡No! "Árbol que creció torcido...", ya el remedio no es tan fácil. No voy a decir que vayamos a aplicar medidas drásticas contra esos árboles torcidos, pero jovencitos aspirantes, ¡no! Hay unas cuantas teorías, yo no soy científico, no soy un técnico en esa materia (*Risas*), pero sí observé siempre una cosa: que el campo no daba ese subproducto. Siempre observé eso, y siempre lo tengo muy presente. Estoy seguro de que independientemente de cualquier teoría y de las investigaciones de la medicina, entiendo que hay mucho de ambiente, mucho de ambiente y de reblandecimiento en ese problema. Pero todos son parientes: el lumpencito, el vago, el elvispresliano, el "pitusa" (*Risas*). ¿Y qué opinan ustedes, compañeros y compañeras? ¿Qué opina nuestra juventud fuerte, entusiasta, enérgica, optimista, que lucha por un porvenir, dispuesta a trabajar por ese porvenir y a morir por ese porvenir? ¿Qué opina de todas esas lacras? (*Exclamaciones*). Entonces, consideramos que nuestra agricultura necesita brazos... [...]

En 1965 se abrieron los campamentos militares para recluir homosexuales, religiosos, delincuentes potenciales y potenciales "contrarrevolucionarios". Aquellos que, frente al destino manifiesto de la patria, mantenían una "conducta impropia". Como se sabe, se crearon las llamadas UMAP (Unidades Militares de Ayuda a la Producción). Y esas siglas, aún hoy, continúan impresionando. Setenta años después del desafortunado Valeriano Weyler y la diabólica idea de la reconcentración, veinticinco después de los campos nazis de encierro para judíos y otras "lacras", volvían a abrirse en el mundo los campos de concentración. Que fueran de "escala menor", que no condujeran a las cámaras de gas, careció y carece de importancia para las víctimas. También se sabe que la muerte no es el único modo de morir.

Se dirá, con razón, que la homofobia no es asunto únicamente cubano. La intransigencia contra el "diferente", la homofobia en particular se halla en casi todas las historias posteriores al surgimiento de las religiones monoteístas. En Occidente, con especial virulencia, desde los siglos XI y XII, siglos de cruzadas, en que se endureció de modo considerable la intransigencia en contra de cualquier minoría. En particular, el machista mundo hispano ha sido extraordinariamente minucioso en su escarnio contra el homosexual. También se dirá que en Cuba ha habido siempre, al menos a la luz del día (de noche todos los gatos son pardos), una acendrada reacción contra el homosexual. Sí, por supuesto, existía homofobia en la Cuba anterior a 1959. Nadie podrá negarlo. Desde antes incluso del surgimiento de la nación, los homosexuales se vieron violentados a la máscara o al escarnio.

La palabra "pájaro" y un movimiento de manos que imitaba alas servían (y seguramente sirven) de ofensa. Según el sabio Fernando Ortiz, la costumbre de llamar "pájaros" a los *gays*, venía del mundo negro, de *cundango*, que en mandinga quiere decir "pajarito". Igual que todos, los homosexuales cubanos sufrieron incontables humillaciones a lo largo del proceso en que la Isla se iba convirtiendo en país y nación. En un libro positivista, de 1888, *La prostitución en La Habana*, su autor, Benjamín de Céspedes, describe:

> Durante las noches de retreta circulan libremente confundidos con el público, llamando la atención, no de la policía, sino de los concurrentes indignados, las actitudes grotescamente afeminadas de estos tipos que van señalando cínicamente la posaderas erguidas, arqueados y ceñidos los talles, y que al andar con menudos pasos de arrastre, se balancean con contoneos de mujer coqueta. Llevan flequillos en la frente, carmín en el rostro y polvos de arroz en el semblante ignoble [sic] y fatigado de los más y agraciados de algunos.

No obstante, encuentro importante destacar el lado aterrador de la homofobia en aquella Isla nuestra posterior a 1959. La poca variación que significó, o mejor dicho, el recrudecimiento en el discurso homófobo en relación con los años anteriores. El hecho de que viniera implementada por un proceso autodenominado revolucionario supuestamente de izquierdas, que se proponía, por tanto, subvertir las estructuras sociales, económicas, políticas, morales. Sorprende la moral, los prejuicios cristianos que pervivieron en una revolución que se confesaba atea. Y lo más aterrador: el carácter institucional, estatal, la politización que asumió a partir de entonces la homofobia.

A partir de ese momento, el homosexual agregó, al estigma de ser un traidor a la naturaleza, el estigma más alarmante de ser un traidor a la patria. Contra natura y contra patria. La práctica "contranatural" implicaba, por fatal silogismo, la práctica contra la patria. La sospecha política resaltaba cualquier otra sospecha. Las inclinaciones sexuales eran síntoma de infamia patriótica. La felación era felonía.

Es bien diferente el homosexual que sufre la repulsa de quienes lo rodean, que conoce el "apresamiento" y la "desposesión", eso que Didier Eribon ha llamado "el poder de la injuria" (por dolorosa que esta sea), al *gay* injuriado por todo un aparato estatal y, por tanto, policial. El *gay* bajo la mirada aterradora del poder. El *gay* a quien la sociedad desprecia, tiene la opción de cerrar puertas y ventanas. ¿Qué opción queda, en cambio, al *gay* a quien desprecia todo un Estado?

(Como curiosidad, obsérvese que en el libro de 1888 se advierte, como de pasada y con cierta indignación: "[...] llamando la atención, *no de la policía*, sino de los concurrentes indignados [...]". Esto, al parecer, significaba que aquellos muchachos se paseaban por las retretas sin excesivos miedos policiales).

La represión contra las minorías en la Cuba revolucionaria ha durado largo tiempo. En cualquier caso, el tiempo que es capaz de soportar una vida humana. Años en los que el escritor Reinaldo Arenas padeció prisión en el castillo de La Cabaña. Años en los que Virgilio Piñera y José Lezama Lima, dos de los más grandes escritores del siglo XX, desaparecieron de las imprentas, de los planes estudios, de la vida social y fueron obligados a una vida de riguroso silencio. Como fantasmas. No por simple juego de la imaginación, Virgilio Piñera creó un verbo excelente y extraordinariamente cubano, "fantasmar" (volver fantasma), en su pieza *Dos viejos pánicos*. Apartar, expulsar, separar, recluir, dividir, confinar, menospreciar, desacreditar, y, en última instancia, fantasmar: constantes sociales y políticas del aparato represivo revolucionario. Sé de lo que hablo: en 1977 pasé cuatro noches en un calabozo por conversar con un amigo pasadas las once de la noche en la puerta de mi casa marianense, cercana a la que hasta entonces se conocía como Plaza Cívica de Marianao. Nos acusaron de "escándalo público". Antes de encerrarnos en un calabozo con alrededor de veinte personas más, el carcelero nos obligó a desnudarnos. "Ahí van dos maricones", gritó a los otros detenidos. Los dos maricones desnudos, no obstante, encontraron una extraña solidaridad: el enfrentamiento con la máquina represora pasa por encima de los prejuicios sociales. El juicio, en el que el fiscal del Tribunal Provincial de La Habana pedía un año de privación de libertad, se celebró tres angustiosos años después. Nunca se nos comunicó sentencia alguna. Como no volví a entrar en la cárcel y han pasado treinta y cinco años, creo suponer que haya sido absuelto. Nunca, hasta hoy, me atreví a preguntar. Quizá por eso odio los teléfonos y los timbres de las puertas. Como he dicho en otras ocasiones, esto que acabo de contar brevemente es lo menos doloroso que puede narrarse de aquellos años. Otros, indiscutiblemente, lo pasaron peor, mucho peor. Me limito a contar lo que viví de primera mano. En mi caso, fue solo una pequeña humillación. Una más en una larga serie de pequeñas y cotidianas humillaciones. Lo que me interesa destacar es que no siempre el mal, incluso en su monstruosa banalidad, adopta la forma del holocausto. Existe un imperceptible campo de concentración de la vida vulgar, una lentísima cámara de gas que apenas se distingue entre los cientos de problemas de cada día. El mal a veces asoma de forma imperceptible y ordinaria, sin *deus ex machina* ni música de Wagner.

Por ejemplo, todavía en los años ochenta, avanzados los noventa, quienes habían contraído el VIH/sida se vieron forzados a permanecer en lo que se conoció como "sidatorios", en las afueras de las grandes ciudades. Algo semejante a los leprosorios de la Edad Media. Creo saber que por alguna piadosa disposición no se les colocaron campanillas al cuello. Aún recuerdo la noticia del primer muerto por sida, en la primera plana del periódico *Granma*. Ignoro si en efecto era el primer muerto por sida o el primero del que se daba noticia. En cualquier caso, había en la información algo destacado, algo que podría habría parecido insustancial y no lo era: el fallecido se desempeñaba como diseñador de algún grupo de teatro y hacía poco había estado de gira por Nueva York. "Diseñador", "grupo de teatro", "Nueva York". Indiscutiblemente, no había ingenuidad en la noticia. Las palabras escogidas apuntaban a una fundada suspicacia.

Para nuestra dicha o nuestra desgracia, el tiempo pasa. Y ahora mismo, ¿se diría que la situación del homosexual cubano ha mejorado con los años? Quizá. No tanto por un cambio de mentalidad, como acaso por una estrategia, por la calculadora necesidad de adaptar los viejos esquemas a los nuevos tiempos. "Es preciso que todo cambie para que todo siga igual", como enseñó aquel personaje tan lúcido del príncipe de Lampedusa. Por eso, pudimos leer en *La jornada* a un debilitado y envejecido Fidel Castro, desentendiéndose del asunto y pidiendo tímidas disculpas. No sabía lo que sucedía (como si eso fuera creíble), y pasemos página (como si eso fuera posible —sobre todo para aquellos a quienes se les fue la vida en aquellos años—). Sin embargo, no sé si habrá que admitir que en ese resquicio de cambio —para que nada cambie— se alcanza el logro mínimo de que la vida sea un poco más llevadera.

Como ha destacado Didier Eribon en su *Reflexiones sobre la cuestión gay*: "[...] el mundo es 'insultante' porque está estructurado según jerarquías que llevan consigo la posibilidad de las injurias". De modo que esa "estructura" demanda una alerta constante, una permanente provocación. La denuncia y el empleo inflexible de la información que las nuevas tecnologías permiten. Y, claro está, debemos tener siempre presentes las palabras de Hanna Arendt: "Mientras existan pueblos y clases difamados, se repetirán nuevamente en cada generación, con incomparable monotonía, las cualidades del paria y del advenedizo, tanto en la sociedad judía como en cualquier otra".

Después de la devastación

Hasta ahora, la creencia totalitaria de que todo es posible
parece haber demostrado solo que todo puede ser destruido.

HANNA ARENDT,
Los orígenes del totalitarismo

Después de la devastación, ¿cuál es el reto? Después de que todo
ha sido minuciosamente destruido y sin que se haya sabido
muy bien por qué y para qué, ¿qué deben hacer los escritores
y artistas cubanos? Mientras alguien limpia y ordena las cosas,
mientras otro arroja los escombros a las cunetas para que pa-
sen los carros repletos de cadáveres, según el "Fin y el principio"
de Wislawa Szymborska, ¿qué se espera de aquellos que bailan,
cantan, pintan, componen música, escriben...?

Aunque no me siento capacitado para responder a una pregunta tan grande como la de cuáles son los principales retos de
la actual cultura cubana, sí supongo que se debe de esperar lo
mismo de siempre. Me referiré inevitablemente al mundo de
la literatura, lo que compone la gran vastedad de mi pequeño
mundo.

Entiendo que el principal desafío continúe siendo:

Uno. Dar testimonio, dar fe. Con la indispensable obstinación
y la forzosa honestidad. Aun a sabiendas de que es solo tramo
exiguo en un largo camino. Sospecho que ahora más que nunca
se hace justo hurgar en la tradición, como quien busca entre las
ruinas, con el propósito de hallar otro punto sólido de partida y
así comenzar de nuevo sin comenzar de nuevo, porque siempre

el comienzo será el resultado de muchas fundaciones y de muchos espacios conseguidos, algunos de ellos definitivos. Para eso, claro, quizá se precise reconocer la magnitud de la catástrofe. Investigar hasta el último tramo de tierra arrasada. Descubrir la magnitud del naufragio, no solo físico, o mejor dicho más que físico: afectivo, moral, espiritual, humano. Tampoco se trata únicamente de la tradición cubana. O puede que sea preciso aclarar que la tradición cubana —país joven al fin— ha sido siempre toda la tradición. Cuando se tiene una cultura de doscientos años, es justo apropiarse de toda la cultura. Tradición: la de Casal, que observa fijamente a Baudelaire y a Verlaine; la de Martí, ajeno al "aldeano vanidoso" que cree que "el mundo entero es su aldea"; la de Alejo Carpentier, que nació en Lausana y murió en París y fingió que era cubano hasta el punto en que lo fue de verdad —más que otros—, y *construyó* La Habana del siglo XIX; la de Lezama Lima, que entre fragmento y fragmento, entre Pico della Mirandola y Rousseau el Aduanero, inauguró cascadas en el Ontario; la de Virgilio Piñera, kafkiano y proustiano, en la Ciudad Celeste; la de Lino Novás Calvo que llegó de Galicia para construir nada menos que un idioma, el habanero... Insisto, la tradición de la superabundancia. La del mundo entero. La que permita descubrir zonas que están más allá de nuestro ombligo. Tanto tiempo encerrados, ensimismados, mirando caer la lluvia de la desidia —aun cuando se viviera en Lawton, Santiago de Cuba, Nueva York o París—, ¿nos habrá hecho creer que estamos siempre en el centro del mundo, que el mundo entero es esta menesterosa aldea en que vivimos?

Dos. Como consecuencia de lo anterior, urge acaso dejar de usurpar la labor del periodismo. Intentar escribir "para siempre" (ya se sabe lo breve que puede ser este "para siempre: hablo únicamente de la voluntad, del propósito, lo demás es cosa del tiempo sobre el que no tenemos ninguna influencia). Voy a poner un pequeño ejemplo de mi experiencia personal. Cualquier escritor que se ha ido de Cuba sabe hasta qué punto se le olvida, hasta qué punto deja de interesar en tanto escritor. "Pero si ya usted no vive en Cuba, ¿qué tiene que decir?", le reprochan (los de "fuera" y los de "dentro") con el dedo en alto y la mirada feroz. Como en la solapa de sus libros, La Habana ha pasado a ser un nombre como Nínive o Cartago, ya usted no importa, porque importa solo en tanto comentarista de aquello que se creyó una epopeya —La Epopeya—. Para leer sobre el tiempo ya tenemos a Proust, a Thomas Mann. Para hablar del amor, nos basta con Stendhal. Deje usted las fantasías para Saki o Edgar Allan Poe. Olvídese de las plantaciones y de los negros esclavos; cuando queramos leer sobre eso, iremos a Faulkner. Déjese de ruinas circulares y de jardines con senderos que se bifurcan. No aspire a tanto. Usted es cubano y los cubanos solo hablan de la revolución —y si hablan bien, mejor: no venga a jodernos nuestros mitos, no venga a decirnos que somos imbéciles—. ¡Faltaba más! Se dirigen a los escritores cubanos en el exilio como si se dirigieran a corresponsales de guerra jubilados. Como si en lugar de novelas, poemas o cuentos, fueran antiguos autores de cuadros costumbristas o los anticuados componedores de columnas semanales de sucesos. Es la confusión del periodismo con la literatura. Sea usted reportero: haga la crónica de la vida cotidiana. Diga: "así es", en lugar de "así se imaginó". "Importa la realidad real, recalcan con sus enunciados tautológicos, no la que usted es incapaz de imaginar". Si los "turistas de las catástrofes" necesitan visitar la Isla, ¿cómo van a entender una literatura, una cultura que también testimonia el vacío, la ausencia, el "ya todo cambió" o el "todo fue de otra manera"? No se trata, por supuesto, de menospreciar el periodismo, sino de preciar la literatura.

Tres. Y aun como consecuencia de lo anterior, unir los pedazos. No basta con decir que un artista cubano, donde quiera que esté, forma parte de la cultura cubana. Las frases solas se convierten en lugares comunes. Los decretos solo sirven en los salones de la burocracia. La cultura estará siempre por encima de Estados y regímenes políticos, efímeros a la corta —o a la larga, o a la muy larga—. Fragmentar puede ser ventajoso para ciertos poderes, funesto para la cultura. El poder necesita instaurar la confusión que la cultura se propone destruir. Al poder solo le importa el poder, el propio; el poder únicamente se preocupa de sí mismo. Y, por supuesto, a los grandes artistas huidos del castrismo no les hacen falta las reparaciones. Cada uno en su órbita, ellos hicieron, hacen, su obra y los aplausos más o menos atronadores carecen de importancia. Pero el problema no recae sobre ellos, sino sobre Cuba, es decir, sobre la cultura cubana. ¿Se puede hablar de cultura cubana prescindiendo de escritores como Lydia Cabrera, Jorge Mañach, Leví Marrero, Guillermo Cabrera Infante, Carlos Montenegro, Severo Sarduy, Reinaldo Arenas, José Triana, Moreno Fraginals, Lino Novás Calvo, Calvert Casey, Enrique Labrador Ruiz, José Kozer, Eugenio Florit, José Lorenzo Fuentes, Eladio Secades, Magali Alabau...? Y tantos que no nombro porque harían una lista interminable. ¿Puede un país como Cuba, con una cultura tan breve, darse el lujo de elegir y desechar? ¿En qué limbo se deja a estos escritores que han muerto o viven o mueren día a día en el exilio? ¿No es acaso el destierro, desde José María Heredia, un *modo de ser* de la cultura cubana? No cabe duda de que también ellos (y posiblemente ellos más que nadie) forman parte de la devastación. También ellos van en los carros repletos de cadáveres.

Palma de Mallorca,
Invierno de 2022.

Índice

Ediciones Furtivas

COLECCIÓN MIRILLA

La primera edición de *La imagen en el espejo*,
de Abilio Estévez, terminó de ser editada por
Ediciones Furtivas en junio de 2022.

Made in United States
Orlando, FL
08 June 2023

33920218R00125